RESTER ZEN
AU QUOTIDIEN

RESTER ZEN AU QUOTIDIEN

Le livre coach de votre bien-être

Sommaire

PARTIE 3 : Zen au quotidien

PARTIE 4 : Art de vivre

« Il ne faut pas de tout pour faire un monde,

il faut du bonheur et rien d'autre. »

Paul Eluard

Introduction

Chacun d'entre nous a la possibilité de prendre son bien-être en main. S'occuper de soi n'est pas une démarche narcissique, c'est un acte d'amour envers soi et envers les autres. Vous l'avez certainement constaté : notre état d'esprit et nos humeurs ont de l'impact sur notre entourage.

Lorsque vous êtes en forme, vous créez des relations harmonieuses, à l'inverse lorsque vous êtes stressé, vous générez des tensions dans votre vie.

On a trop souvent tendance à attendre que le monde extérieur nous procure du bonheur, comme si c'était un dû. Cette attitude passive nous rend dépendant des facteurs extérieurs et nous fragilise.

Or le bonheur est une faculté qu'il nous appartient de développer.

Dans mon précédent ouvrage, *La médit-action* (éditions Robert Laffont et Pocket), j'ai relaté la première partie de ma vie qui était axée sur le paraître, de par mon métier de speakerine et de chanteuse. Ces métiers de l'image et du spectacle peuvent nous rendre dépendants du succès et de l'opinion des autres si l'on n'a pas suffisamment confiance en soi.

À cette époque, j'étais souvent inquiète, en attente de reconnaissance et c'est à la suite d'un incendie dans lequel mon mari et moi-même avons failli mourir que ma vision de la vie s'est radicalement transformée.
J'ai commencé à comprendre le sens de l'existence, et je sais aujourd'hui qu'il ne faut pas négliger la joie intérieure car ce n'est pas le progrès technologique qui peut nous l'apporter. « Dans nos pays riches, nous avons tout sauf l'essentiel. Oui mais qu'est-ce l'essentiel ? Notre pure conscience, notre paix ultime, notre dimension spirituelle. » (Sa sainteté le Dalaï-Lama.)

J'ai eu l'opportunité de séjourner au Japon à différentes reprises. Dans ce pays surprenant, j'ai fait des rencontres déterminantes et acquis des connaissances nouvelles.
Mes voyages au Japon ont eu une très grande influence sur mon évolution personnelle.
De retour en France, j'ai décidé d'étudier la sophrologie sous la direction de médecins sophrologues et obtenu mon master auprès du fondateur de cette discipline, le professeur Alfonso Caycédo, auquel je tiens ici à rendre hommage.
Consciente des bienfaits que cet apprentissage m'avait apportés, j'ai eu envie de faire partager mes découvertes, mes expériences à mon entourage puis au public.
Partant des acquis de la sophrologie, mon mari, le compositeur et auteur Laurent Stopnicki et moi-même avons effectué des recherches personnelles en particulier sur la voix, les sons et sur leur impact sur les émotions.

Les soirées zen et les séances de relaxation que nous organisons m'ont montré à quel point la demande de bien-être était grande. J'ai croisé de nombreuses personnes qui cherchaient à se sortir de situations de stress et ne savaient pas comment procéder pour trouver des solutions.
Les aider à trouver le chemin du bien-être est devenu pour nous une vocation qui a donné un vrai sens à ma vie. Celui de faire du bien, d'être utile.
Je souhaite qu'à travers la lecture de ce livre, vous puissiez aborder la vie d'une manière plus sereine.
Ce livre va vous aider à cultiver votre bien-être au quotidien – à la maison, au travail ou même dans les transports – à travers des méthodes simples, des pratiques émanant parfois de traditions ancestrales. J'ai revisité bon nombre de ces pratiques pour les adapter à notre mode de vie occidental et les rendre ainsi plus accessibles.
Conçu comme un guide, un vade-mecum, ce livre est composé de fiches pratiques que vous pourrez consulter facilement selon vos besoins.
Au fil des pages, je vous proposerai des clefs qui vous permettront de découvrir et d'adopter une nouvelle façon de vivre plus sereine, plus... zen.
Vous trouverez donc des réponses et des techniques, techniques qui vous permettront de surmonter les épreuves, les inquiétudes.

Vous aurez la possibilité de vous familiariser avec des pratiques de respiration, de relaxation, de sophrologie et de méditation qui

vous aideront à dénouer vos tensions, à apaiser vos pensées et aussi à recharger vos batteries.
Vous pourrez également vous initier à des pratiques issues du chi kong et du yoga et vous entraîner à la gym douce. Ces disciplines vous permettront d'harmoniser le corps et l'esprit.
En apprenant quelques automassages, vous découvrirez que vos mains sont des outils de bien-être exceptionnels.
Dans cet ouvrage, je vous indiquerai comment devenir votre propre coach pour développer vos capacités de confiance, de concentration et de mémoire.
Vous pourrez ainsi identifier et éliminer les vieilles rengaines de votre juke-box intérieur (« Je ne vais pas y arriver. », « Je suis nul. » en valorisant vos aptitudes : « Je suis imaginatif, attirant... ») et apprendre à apprivoiser votre stress. J'ai moi-même été par le passé une personne anxieuse et j'ai fait du chemin pour parvenir à trouver le calme intérieur, la sérénité. Je parle donc de ces problèmes en connaissance de cause...
Ce sont en effet les épreuves que j'ai traversées qui m'ont conduit à m'intéresser puis à me spécialiser dans les disciplines du bien-être.

N'essayez pas de faire tous les exercices, choisissez ceux qui vous conviennent le mieux. Soyez patient avec vous-même et régulier dans votre pratique.
Vous en ressentirez très rapidement les effets bénéfiques. J'ai constaté qu'une pratique quotidienne même brève donnait plus de résultats qu'une pratique occasionnelle.

Vivre zen, c'est être en accord avec soi-même et avec les autres.

Vivre zen, c'est trouver une certaine sérénité dans notre vie de tous les jours, c'est respecter son écologie intérieure sans se laisser polluer par des pensées anxiogènes.

Vivre zen, c'est se donner les moyens de gérer les difficultés et les épreuves qui jalonnent toute existence.

OM

PARTIE 1

Les bases pour être zen

CHAPITRE 1

La respiration

La respiration, c'est la vie. L'homme à sa naissance, dans son premier geste de vie autonome, expérimente la respiration par le cri. Les Indiens appellent la respiration, prana. Pour eux c'est le souffle de la vie, l'énergie vitale. Une bonne respiration permet d'accéder à la détente et à l'équilibre psychique et physique. Elle augmente l'oxygénation du cerveau, développe la conscience corporelle, et réduit le taux de stress.

Notre façon de respirer découle directement de nos émotions, trop souvent nous respirons « à l'envers », en bloquant le ventre. Ce dysfonctionnement n'entretient pas seulement le stress, mais entraîne une série de désordres organiques : migraines, palpitations, nausées et angoisses.

Lorsque nous sommes sous pression, notre respiration devient courte, rapide et thoracique. L'air entre dans le haut des poumons et ressort de manière précipitée. Soumis à des tensions nerveuses, le corps se crispe, le ventre et le diaphragme se nouent. Nous ne respirons plus alors qu'avec la partie thoracique, et notre organisme en subit les conséquences.

À l'inverse, une respiration calme et abdominale procure une détente profonde à tout notre organisme. L'amplitude des mouvements respiratoires exerce un massage des organes abdominaux et favorise la détente neuromusculaire ainsi que l'oxygénation du cerveau. Lorsque vous êtes assailli par des pensées parasites, concentrez-vous sur votre respiration. Elle sera votre meilleure alliée.

La respiration abdominale

Respirer par le ventre est un réflexe de santé.

La respiration abdominale est la respiration du nouveau-né et c'est aussi celle que nous retrouvons spontanément dans le sommeil. C'est dans le ventre que se concentrent les besoins les plus élémentaires et les émotions.

La respiration abdominale agit comme un bercement. Elle soulage notre fatigue et nous permet d'éliminer les déchets toxiques. Elle favorise la ventilation pulmonaire, avec des effets positifs sur notre foie, puisque l'oxygène élimine l'acide lactique.

Il est donc essentiel de s'accorder de courtes pauses respiratoires au quotidien pour se décontracter et absorber de l'énergie vitale. Faites régulièrement une pause de respiration abdominale, en position allongée, assise ou debout.

La pratique

En position allongée ou en position assise

Inspirez par le nez, en gonflant le ventre comme un ballon, et en ouvrant le thorax. Puis expirez par la bouche longuement, en rentrant votre abdomen au maximum.

En position debout

Inspirez par la bouche et prolongez l'expiration, en mettant les deux mains sous les côtes, et en vous penchant en avant.

Plus longue est votre expiration, meilleure est votre détente.

Dès que vous vous sentez envahi par une émotion négative respirez par le ventre, jusqu'à ce que vous sentiez le calme revenir en vous.

Faites au moins cinq respirations.

La respiration diaphragmatique

Pour bien respirer, il est important de ressentir le travail des poumons, du diaphragme et du ventre.

Le diaphragme est le muscle respiratoire qui sépare le thorax de l'abdomen.

Pour le visualiser, imaginez les trois-quarts d'un parachute. À l'avant, il s'accroche au sternum et aux côtes qu'il suit vers l'arrière. C'est donc une sorte de tente qui sépare le thorax de l'abdomen.

Le jeu physiologique du diaphragme est de descendre à l'inspiration et de remonter à l'expiration.

Lorsque nous respirons à fond, nous emplissons nos poumons d'air jusqu'en bas, nous repoussons notre diaphragme qui se contracte et qui n'a pas d'autre solution que de s'arrondir vers le bas.

En s'abaissant, le diaphragme augmente le volume de notre cage thoracique et nous offre une respiration plus ample, qui nous permet de renouveler davantage d'air qu'en temps normal.

La pratique

La respiration diaphragmatique ou respiration complète

C'est le principe de la bouteille. La respiration complète libère l'énergie au niveau du cœur et du plexus solaire. Elle agit sur tout le système nerveux et apporte une profonde détente.

Imaginez une bouteille vide. Remplissez-la d'eau.

C'est d'abord le bas de la bouteille qui se remplit, puis le milieu et enfin le haut.

Videz l'eau de la bouteille. C'est d'abord le haut qui se vide, puis le milieu et enfin le bas.

Il en va de même lorsque nous faisons une respiration complète.

Nous prenons conscience de nos trois étages de respiration au niveau du ventre, du diaphragme et des poumons.

Inspirez profondément par le nez, en gonflant l'abdomen.

Toujours en continuant d'inspirer, faites monter l'air sur le diaphragme, puis en haut des poumons dans la cage thoracique, afin que les côtes s'écartent, et en élargissant bien les épaules.

Expirez, soufflez par la bouche en abaissant votre cage thoracique qui se rétrécit, puis votre diaphragme et votre ventre, en vous penchant légèrement en avant.

Faites cette respiration le plus souvent possible, assis ou allongé.

Inspirez le positif, expirez le négatif

Prenez conscience de votre souffle.

Cela vous permettra d'accompagner la détente, et dans le même temps, d'augmenter l'oxygénation de votre cerveau, de développer votre équilibre et de maîtriser votre souffle.

Vous pouvez faire cette respiration en position assise, debout ou couchée.

Plus longue est votre expiration, meilleure sera votre détente.

La pratique

Commencez par expirer.

Inspirez par le nez en gonflant le ventre comme un ballon.

Pour vous aider vous pouvez poser vos deux mains sur votre ventre, pour mieux sentir le va-et-vient de votre respiration.

Expirez le plus lentement possible en rentrant votre ventre.

Videz l'air de vos poumons.

À présent, inspirez en retenant l'air dans vos poumons pendant quelques secondes.

Remplissez-vous de calme et de paix. Puis expirez par le nez en évacuant les éléments négatifs, le stress, les tensions, les pensées « toxiques ».

Les inspirations apportent l'oxygène indispensable au système sanguin, pour nourrir les cellules. Les expirations chassent les toxines.

Inspirez le positif, expirez le négatif.

C'est tout simple de respirer !

Commencez par respirer régulièrement, pendant cinq minutes, plusieurs fois par jour. Cet exercice a un réel pouvoir relaxant.

Et n'oubliez pas : respirez plutôt par le ventre que par la poitrine, pour approfondir votre souffle.

Respirations express

• La paille

J'ai appris cette technique rapide et efficace au Japon. Elle fait baisser la tension, l'émotion et le stress. Elle régule aussi le rythme cardiaque.

La pratique

Pour commencer, inspirez en gonflant le ventre.

Puis expirez lentement par la bouche, comme si votre souffle passait à travers une paille.

Ensuite, repérez les trois points suivants :

– le menton (pour détendre l'ensemble du visage),

– les épaules (pour détendre la nuque, les épaules, les bras, le tronc et le dos),

– l'abdomen (pour favoriser le relâchement du ventre, du bassin et des membres inférieurs).

En inspirant lentement, puis sur une seule expiration prolongée, détendez et relâchez le menton, les épaules et l'abdomen. Prenez conscience de la détente qui gagne chacun de ces trois points.

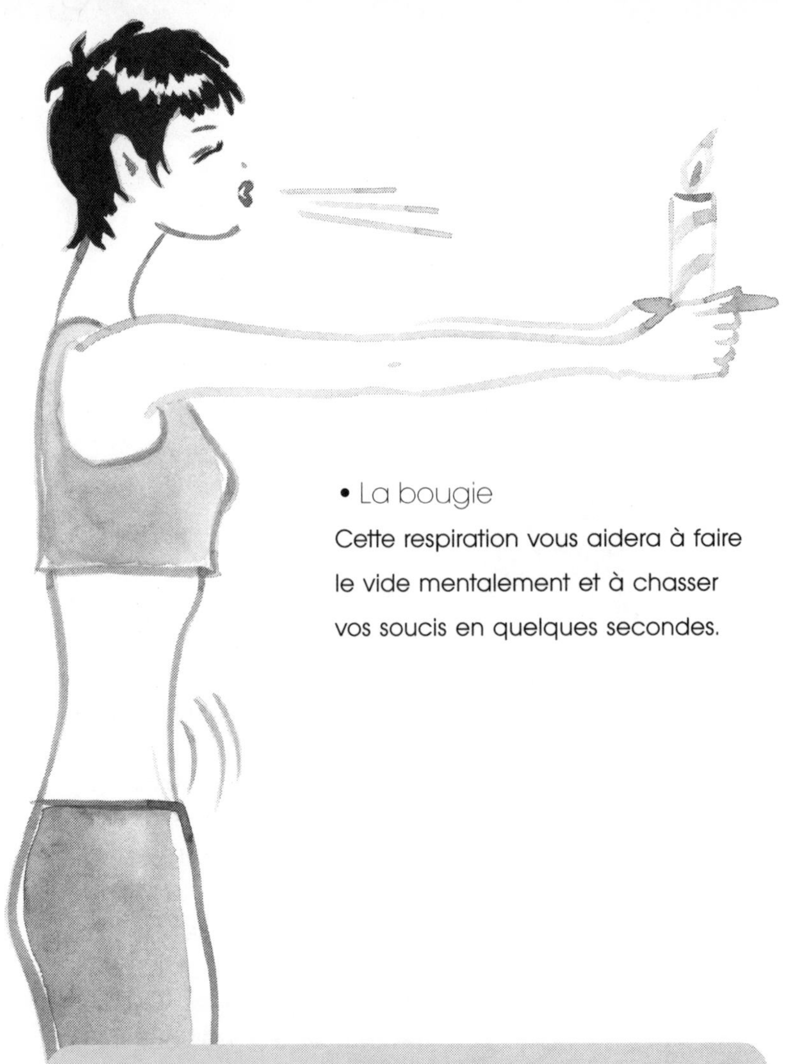

• La bougie

Cette respiration vous aidera à faire le vide mentalement et à chasser vos soucis en quelques secondes.

La pratique

Prenez une bougie, placez-la à quelques mètres de vous.
Observez quelques instants cette bougie en gardant votre regard fixé sur la flamme.
Inspirez puis expirez, à chaque fois pendant six secondes, en soufflant sur la bougie. Comme pour éteindre la flamme.
L'allongement du souffle permet de se purifier de l'intérieur.

Le bâillement

Essayez cet outil formidable qui vous aidera à lutter contre le stress.

Nous bâillons lorsque nous avons sommeil ou lorsque nous nous ennuyons.

Quand nous bâillons, nous lâchons prise sur notre corps. Le bâillement est une décharge respiratoire, tout comme le soupir qui est un antistress naturel. Ce réflexe respiratoire apporte calme et sérénité. Il ouvre la gorge, détend les muscles du visage.

La pratique

Inspirez profondément, serrez les muscles autour des yeux, fermez les yeux très fort et ouvrez grand la bouche. Exagérez le mouvement du bâillement et il viendra tout seul !

Entraînez-vous jusqu'à ce que vous sachiez bâiller à volonté. Vous aurez ainsi un moyen rapide de détente à votre disposition.

Ouvrez la bouche, allez-y, bâillez !

Simulez le bâillement en vous étirant, coudes pliés, puis tirés vers l'arrière.

Amenez votre menton vers la gorge et expirez en ouvrant très grand les mâchoires et en tirant la langue très loin vers le bas, avec un grand « ha ! » bien sonore. Cela va déclencher un véritable bâillement de détente.

La respiration yogique

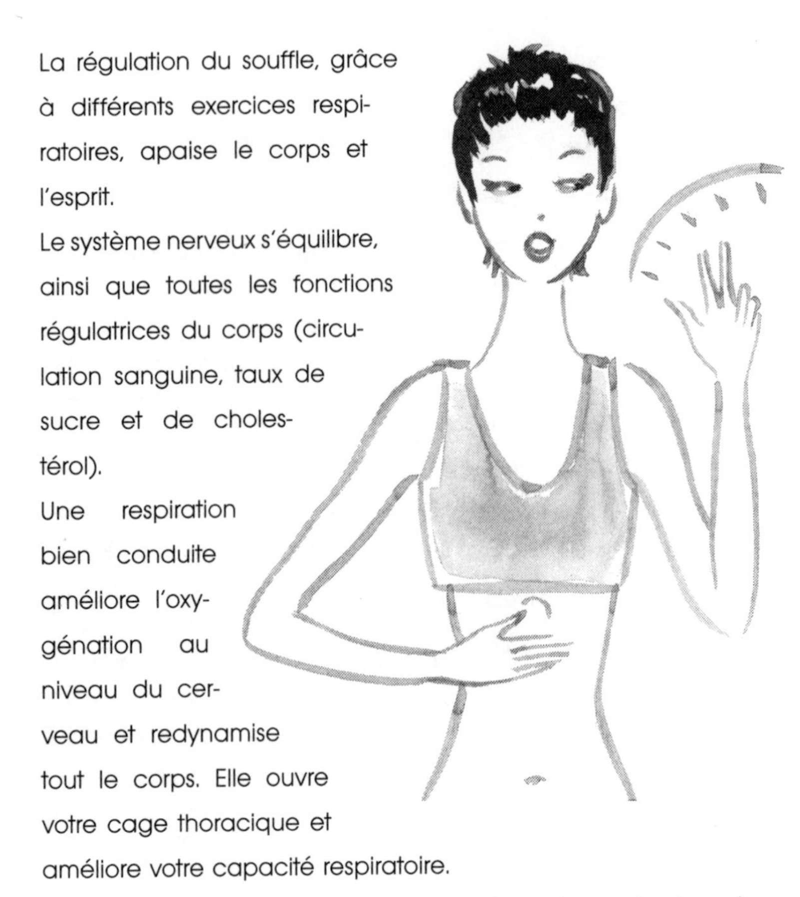

La régulation du souffle, grâce à différents exercices respiratoires, apaise le corps et l'esprit.

Le système nerveux s'équilibre, ainsi que toutes les fonctions régulatrices du corps (circulation sanguine, taux de sucre et de cholestérol).

Une respiration bien conduite améliore l'oxygénation au niveau du cerveau et redynamise tout le corps. Elle ouvre votre cage thoracique et améliore votre capacité respiratoire.

En pratiquant la respiration yogique, dynamique et relaxante, vous ressentirez un bien-être très agréable.

La pratique

Respiration yogique dynamique

Vous pouvez pratiquer la respiration dynamique juste avant d'entreprendre un travail physique.

En position assise inspirez et expirez rapidement, plusieurs fois par le nez, en gonflant et dégonflant le ventre.

Expirez par le nez, en rentrant le ventre, bouche fermée, en faisant ressortir l'air de vos narines.

Faites cet exercice cinq à six fois, pendant une minute maximum.

Arrêtez-vous pour faire des respirations lentes puis reprenez une série de cinq respirations rapides. Soyez attentifs à vos mouvements : sentez votre souffle descendre à l'inspiration et remplir la région de vos lombaires, du bas du dos et de votre ventre.

À l'expiration, laissez votre souffle remonter et ressortir de vos narines.

Respiration yogique relaxante

Inspirez par le ventre, en faisant monter l'air jusqu'en haut des poumons. Bloquez l'air pendant trois secondes.

Puis, expirez par le nez, laissez l'air repartir à chaque respiration.

La liaison corps et esprit s'obtient grâce à l'attention apportée sur chaque souffle, ainsi qu'aux temps intermédiaires d'arrêt entre chaque respiration.

Respirez sur un mot agréable

Les mots que nous prononçons ont un impact sur notre bien-être. Ils émettent des vibrations.

Vous pouvez choisir des mots qui expriment une sensation ou un sentiment comme la joie, la paix, le calme, le bien-être ou encore la détente. Mais vous pouvez aussi choisir simplement une qualité que vous désirez acquérir comme le calme ou la confiance en soi.

La pratique

Puissance de l'affirmation positive

L'efficacité d'une affirmation positive dépend de l'émotion avec laquelle on la vit. Alors vivez ces mots avec une foi inébranlable en vous-même et envers ce travail intérieur. Songez à formuler positivement votre affirmation. Ne dites pas : « Je ne suis plus tendu », mais dites plutôt : « Je suis détendu ».

L'homme a tout en lui.

Mon but est de vous aider à ouvrir la petite porte qui mène à la découverte de votre moi profond.

Inspirez, puis expirez en formulant mentalement un mot qui représente pour vous la sérénité :

« relax, paix, bien-être, bonheur, réussite ».

CHAPITRE 2

La relaxation

« Apprendre à vivre c'est apprendre à lâcher prise. »
(Sogyal Rinpotché.)

La relaxation est une technique de détente qui permet de relâcher le corps et l'esprit.
Savoir se relaxer, c'est aussi lâcher prise, rire et profiter des petits plaisirs de la vie.
La relaxation musculaire et mentale permet une mise au repos de l'organisme et une bonne récupération, à l'issue d'un effort physique ou d'une journée stressante, notamment.
Cette étape va vous permettre de vous installer dans cet état de détente profonde que l'on nomme « état alpha », un état de conscience à la frontière du sommeil entre veille et sommeil.
Dans cet état, vous êtes libéré de vos peurs et de vos angoisses.
Vous êtes en prise directe avec votre inconscient. Le potentiel de votre cerveau est optimisé car il n'a plus besoin de traiter les informations extérieures.
Bien souvent, lorsque nous stressons, nos muscles se tendent, se crispent et nous entretenons ainsi des douleurs musculaires qui peuvent à la longue devenir chroniques : mâchoires crispées, mal de dos, douleurs aux cervicales, aux épaules et aux jambes, etc.

La méthode qui m'a éveillée à la relaxation est la sophrologie.

Science de la conscience, la sophrologie a été créée en 1960 par le professeur Alfonso Caycédo, docteur en médecine et neuropsychiatre.

Cette discipline a changé ma vie car elle m'a apporté la sérénité intérieure.

Au cours d'une séance de sophrologie, on atteint un état de relaxation profonde qui permet à l'organisme de se régénérer, au système neurovégétatif de se réguler.

On pénètre très vite dans un état très agréable au bord du réveil, au bord du sommeil.

La sophrologie nous permet de vaincre le stress et les peurs et de mieux gérer des émotions qui peuvent impacter négativement sur notre corps.

Je vais vous indiquer dans ce chapitre comment relâcher vos muscles, segment par segment, comment prendre conscience de vos tensions et de vos besoins, comment vous détendre en profondeur.

La détente musculaire

Base de la sophrologie, la détente musculaire et mentale permet une véritable mise au repos de l'organisme qui peut ainsi se régénérer.

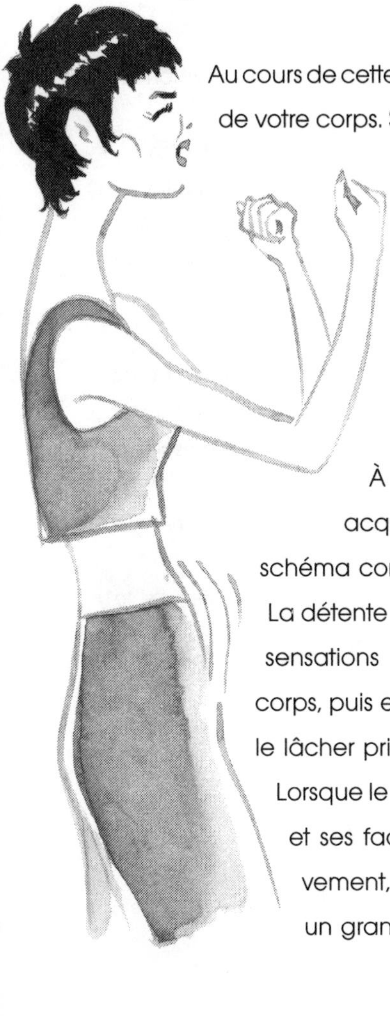

Au cours de cette étape, vous allez prendre conscience de votre corps. Segment par segment, vous repérerez vos tensions et vous relâcherez vos muscles... En prenant conscience de chacune de vos tensions musculaires, vous pourrez les « lâcher », physiquement et mentalement. Vous vous détendrez en profondeur...

À l'issue de cette détente, vous aurez acquis une meilleure image de votre schéma corporel.

La détente musculaire engendre de nombreuses sensations très agréables. En contractant son corps, puis en relâchant la contraction, on accroît le lâcher prise musculaire.

Lorsque le corps est détendu, l'esprit est au repos et ses facultés sont optimisées. En cas d'énervement, cet exercice de contraction apporte un grand calme intérieur.

La pratique

Mettez-vous debout et détendez-vous.

Après avoir détendu votre visage et vos épaules, respirez profondément et lentement avec votre abdomen.

Dans cette position debout, prenez conscience de votre corps.

Expirez, videz complètement vos poumons. Puis inspirez, gonflez le ventre comme un ballon, ensuite le thorax et enfin les épaules. Lorsque vous vous sentez rempli d'air, retenez votre souffle et contractez tous les muscles de votre corps.

Contractez le visage, les mâchoires, le dos, les bras, les jambes, les pieds, la poitrine et tout l'abdomen, comme si vous vouliez envoyer de l'air dans tout votre corps. Gardez quelques instants cette posture globale, puis relâchez d'un coup tous vos muscles à la fois, en expirant fortement par le nez.

Projetez-vous positivement dans l'avenir, tout en reprenant le rythme normal de votre respiration. Étirez-vous longuement.

En procédant progressivement pour tendre et pour détendre le corps tout entier, vous percevrez l'effet relaxant de cet exercice.

La détente de base en sophrologie

Je vous conseille de pratiquer la méthode sur une musique que vous aimez, qui vous détend pour favoriser l'accès à la relaxation.

J'utilise cette musique en maternité pour aider les femmes enceintes à se relaxer et je constate que le bébé est également très réceptif aux vibrations de cette musique. (Je me réfère à *La médit-action* chez Robert Laffont, livre CD.)

En apprenant à vous détendre de la tête aux pieds, à rencontrer et accueillir toutes les sensations de votre corps, vous deviendrez progressivement conscient de vos tensions, et vous pourrez ainsi plus facilement les dénouer. Vous serez donc plus apte à éliminer progressivement votre stress.

La pratique

Tout d'abord, fermez doucement les yeux pour pénétrer dans votre monde intérieur.

Commencez par faire deux respirations.

Gonflez le ventre à l'inspiration.

Relâchez le ventre à l'expiration.

À l'inspiration, remplissez-vous de calme et de bien-être.

À l'expiration, relâchez la fatigue, le stress et les tensions.

Prenez le temps au cours de la journée d'observer vos réactions, vos tensions, d'essayer de sentir dans quelles zones se localisent ces tensions...

« Commencez par détendre votre visage.
Relâchez les muscles de votre front, votre front est lisse, tranquille comme un lac que rien ne vient perturber.
La détente vient se poser sur vos paupières. Détendez vos paupières qui deviennent de plus en plus lourdes. Relâchez les muscles autour de vos yeux, comme s'ils étaient deux rideaux qui se fermaient pour faire le calme en vous.
Toute la partie supérieure de votre visage est calme et tranquille.
Cette détente se diffuse à l'intérieur des joues.
Laissez entrer en vous la sérénité et la paix.
Vos lèvres s'entrouvrent, vos mâchoires se décrispent, vos dents se desserrent et votre menton s'abaisse.
Tout votre visage est calme, lisse et détendu.
Prenez conscience de l'ensemble de votre tête, sans aucune tension.
Ce courant de détente continue de descendre, il enveloppe vos épaules. Relâchez vos épaules qui sont attirées par la pesanteur.
Vos épaules sont lourdes.
Relâchez vos bras, vos avant-bras, vos mains, jusqu'au bout des doigts.
Détendez et relâchez votre thorax, votre respiration est calme et régulière, elle assure une parfaite oxygénation de votre corps.
À présent, laissez votre dos se détendre complètement, vertèbre après vertèbre, de la nuque jusqu'au bas des lombaires. Sentez votre dos s'enfoncer en toute sécurité sur son support.
Les muscles de votre dos deviennent souples et les contractions disparaissent.
Relâchez votre ventre, détendez votre bassin.

Prenez conscience du relâchement de votre ventre, de votre respiration abdominale, régulière comme le flux et le reflux des vagues.
La détente se prolonge vers vos membres inférieurs, laissez aller vos cuisses, vos jambes, vos genoux, vos mollets, vos chevilles et vos pieds, jusqu'au bout des orteils.
Tout votre corps est à présent détendu, imprégné par le courant de détente, vous êtes dans un état de quiétude très agréable. »

(Extrait de l'album Éveil, *de SONY MUSIC.)*

Le chauffage corporel pour se préparer à une épreuve

Vous pouvez faire cet exercice pour programmer positivement une épreuve, un examen ou une compétition.

Exécutez ce mouvement doucement et sans forcer.

La pratique

Le chauffage corporel

Mettez-vous debout et fermez les yeux.

Détendez votre visage, vos épaules et votre abdomen.

Placez une main sur le ventre et l'autre sur la région lombaire.

Respirez seulement avec votre ventre.

À l'inspiration le ventre se remplit d'air et vient pousser votre main.

À l'expiration, l'air est chassé par la bouche, et la paroi abdominale vient toucher le bord antérieur de la colonne vertébrale.

Imaginez votre prochaine compétition ou votre prochaine réunion importante.

Réalisez combien vous êtes calme.

À présent commencez à respirer rapidement avec l'abdomen, aussi vite que possible.

Lorsque vous inspirez, l'air gonfle votre ventre.

Le ventre se creuse à la sortie de l'air, à l'expiration.

Pratiquez ce mouvement très rapide puis, doucement, diminuez la cadence de votre respiration et relaxez-vous. Pensez à votre succès. Vous êtes gagnant !

Étirez-vous et enfin, ouvrez les yeux.

Cet exercice va libérer le diaphragme, grand muscle de l'émotion qui se trouve au creux de l'estomac. Il permet ainsi de diminuer l'anxiété, le stress avant une épreuve, un examen. Il permet un début de lâcher prise et peut être utilisé comme préliminaire à tout effort physique. Il entraîne un échauffement du corps simple et efficace.

Le réflexe de relaxation

Vous savez désormais pratiquer la détente de base. Je vous propose maintenant le réflexe de relaxation qui va vous permettre d'acquérir rapidement un état de bien-être.

Il vous suffira de refaire ce geste à tout moment de la journée, pour retrouver instantanément les sensations de bien-être de la détente de base.

La pratique

Choisissez un geste facile à exécuter : par exemple, serrez les doigts ou le poing, ou tendez l'index.

Vous pourrez réutiliser ce geste régulièrement pour vous déstresser, vous recentrer avant un examen, un rendez-vous important ou encore une prise de parole. C'est un geste réflexe rapide et efficace.

La relaxation dynamique

La relaxation dynamique est également issue de la sophrologie.
La relaxation dynamique agit en particulier sur le tonus musculaire et permet une meilleure connaissance de notre schéma corporel.
Les exercices de relaxation dynamique permettent à l'oxygène de mieux pénétrer notre cerveau et tous nos organes. Elle est très utilisée par les sportifs de haut niveau.
Je la pratique le matin au réveil pour me préparer à ma journée de travail et le soir pour chasser les tensions de la journée. Voici quelques pratiques de relaxations dynamiques que vous pourrez utiliser au quotidien pour vous remplir d'énergie et recharger vos batteries.

Le pompage des épaules

Le pompage des épaules, excellent exercice de relaxation dynamique provoque une grande détente des épaules, des trapèzes et, par réaction, de la nuque. La rétention du souffle, associée au mouvement des épaules, intensifie les échanges au niveau pulmonaire. Il s'ensuit une meilleure oxygénation et une élimination plus complète du gaz carbonique.

La pratique

Inspirez, serrez les poings et en retenant l'air dans les poumons, faites plusieurs mouvements rapides des épaules de haut en bas. Vous pompez.
Puis relâchez tout en expirant.

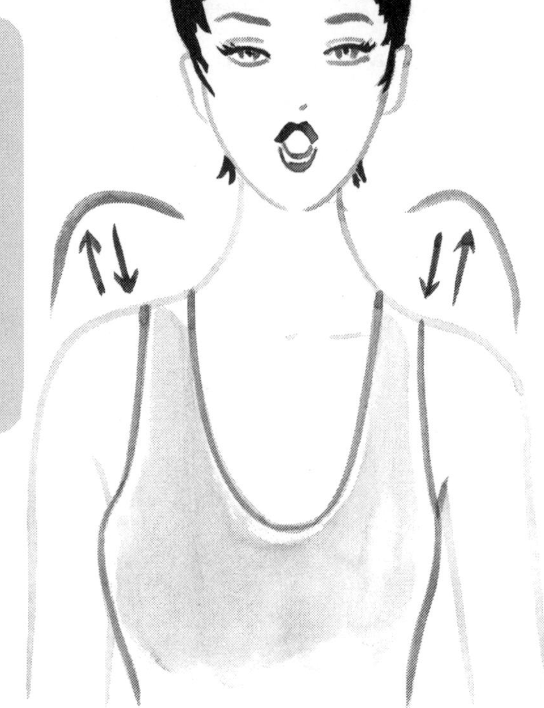

L'étirement des épaules

L'étirement des épaules permet une meilleure prise de conscience de son schéma corporel et une amélioration de son enracinement, ainsi qu'une meilleure stabilité physique qui se répercute au niveau émotionnel et mental.

La pratique

On place d'abord le poids du corps sur le pied gauche et en inspirant, on lève le bras droit tout en relevant la tête. Poumons pleins, on étire le bras droit le plus haut possible. Puis en expirant, on relâche d'un coup. On fait la même chose avec l'autre bras.

Prenez conscience des sensations que vous ressentez dans votre bras une fois le mouvement effectué. Le bras étiré est léger, rempli de vie, de confiance.

L'autre bras paraît plus lourd, plus petit.

Enfin on étire les deux bras en même temps... Et on relâche.

Relaxation dynamique pour se remplir d'énergie

Le développement de la connaissance de notre corps nous permet d'avoir conscience des attitudes de notre corps, de mieux le situer dans l'espace.
Voici des exercices de dynamique que j'utilise le plus souvent pour me remplir d'énergie.

La pratique

Exercice des avant-bras :

À l'inspiration, levez les bras à l'horizontal, paumes tournées vers le thorax.

En retenant l'air dans vos poumons, avec une tension très douce, ramenez les mains vers le thorax en prenant conscience de l'espace qui sépare le corps des mains... Puis expirez.

Faites ce mouvement avec les poings fermés puis avec les poings ouverts. Avec comme intention de ramener vers vous de l'énergie, de la confiance, du bien-être.

Chaque mouvement doit être effectué trois fois.

Exercice des moulinets :

À l'inspiration, levez un bras à l'horizontal poing fermé.

En rétention, faites des moulinets avec le bras droit autour de l'axe de l'épaule.

À l'expiration, laissez le bras droit redescendre lentement le long du corps.

Prenez conscience de ce bras droit qui vient de travailler. Comment est-il par rapport à l'autre bras ? Quel est le bras le plus long, le plus lourd ?

Faites la même chose avec le bras gauche.

Puis tournez les deux bras en même temps, simultanément.

Ce geste libère la zone thoracique et amène une grande énergie dans tout le corps.

CHAPITRE 3

Zen en mouvement

« La vie est un mouvement. Plus il y a flexibilité, plus vous êtes fluide, plus vous êtes vivant. »
(Arnaud Desjardins.)

Le mouvement c'est la vie !
C'est le mouvement qui fait circuler l'énergie. Il n'a pas besoin d'être en force pour être puissant.
J'aime les gymnastiques douces et le chi kong qui permettent de se ressourcer et de se revitaliser.
Vous avez certainement vu des reportages qui montrent des Chinois en train de faire de la gymnastique dans des jardins publics.
Vous avez sans doute remarqué que parmi eux, il y avait beaucoup de personnes âgées. On peut donc pratiquer cette discipline à tout âge pour conserver son capital santé. Ces mouvements doux sont basés sur l'énergie et l'énergie, c'est le ch'i.
Le ch'i, c'est quoi ?

Pour les Orientaux, l'énergie relie tout ce qui compose l'univers. Les Chinois l'appellent ch'i, les Japonais qi (ou ki) et les Indiens le prana. Quel que soit son nom, cette énergie est à la base de tout : c'est le souffle de vie qui est en nous et qui nous entoure. Le ch'i se nourrit de nos pensées, de nos émotions et de nos aspirations. On l'a tous plus ou moins expérimenté : des idées noires ou un coup de blues portent un coup au moral et s'accompagnent souvent d'une baisse de tonus et d'un manque d'énergie.

Les mouvements zen que je vous conseille dans ce chapitre favorisent le retour au calme, apaisent les tensions, tout en assouplissant et en fortifiant le corps.

Prenez conscience de votre corps en effectuant des mouvements simples et des gestes lents. Le but n'est pas de répéter des exercices ou des positions mais de bien comprendre ce qui se passe en vous.

Au cours de ces exercices restez présent à vos sensations.

Pratiques de qi gong

Comme une fleur qui s'ouvre

Le qi gong est une gymnastique énergétique plurimillénaire. Il participe à une bonne circulation de l'énergie dans le corps, par le biais de mouvements lents, doux et harmonieux.

Qi signifie l'énergie, le souffle et gong signifie le travail, le mouvement.

Respirer par le ventre, comme les bébés, restaure notre vitalité et augmente nos défenses immunitaires.

En Chine, les thérapeutes canalisent et accumulent leur énergie au niveau du « dan tien » afin de pouvoir la dispenser à leurs patients. Le « dan tien » se situe à l'intérieur du bas-ventre, à une distance de deux doigts, sous le nombril.

Nos rythmes de vie absorbent une grande partie de notre énergie, ce qui affaiblit notre vitalité, nos défenses immunitaires et notre esprit.

La pratique

« Comme une fleur qui s'ouvre »

Sur l'inspiration, les mains montent le long de l'axe central du corps, accompagnant l'énergie qui se déplace de la Terre vers le ciel. Puis, à peu près au niveau de votre poitrine, les mains s'ouvrent sur le côté, comme une fleur qui s'épanouit, laissant l'énergie se disperser dans tout votre être. Dans un second temps, les mains ouvertes redescendent sur les côtés.

Répétez le mouvement une seconde fois.

Nous avons donc besoin de nous nourrir de l'énergie de la Terre et du ciel, en nous « connectant » à eux, afin d'équilibrer le yin et le yang, l'énergie féminine et l'énergie masculine.

La boule d'énergie

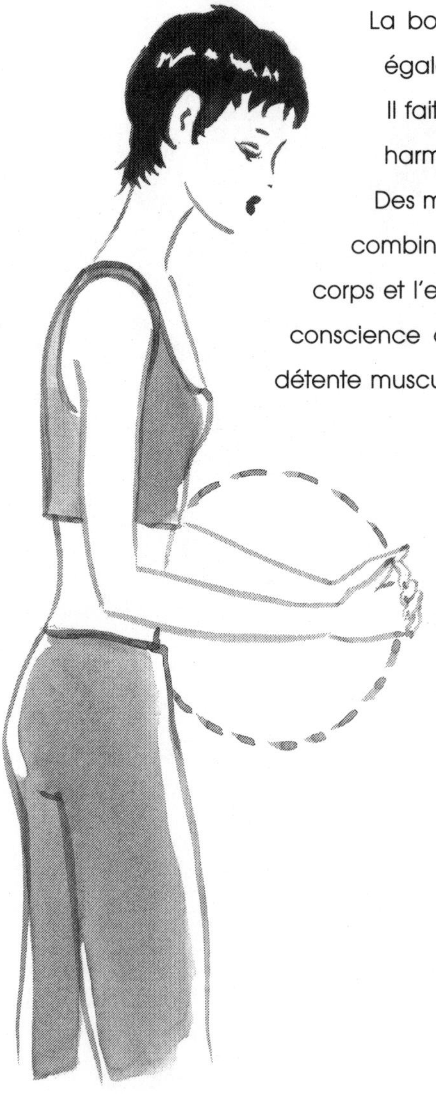

La boule d'énergie est un exercice zen également issu du qi gong.

Il fait baisser la tension, calme l'esprit et harmonise la respiration.

Des mouvements lents, doux et profonds, combinés à la respiration, vont apaiser le corps et l'esprit, pour éveiller une plus grande conscience de soi, de son être et favoriser la détente musculaire.

La pratique

Inspirez, séparez les mains et levez lentement les bras de chaque côté du corps à l'horizontale, jusqu'à la hauteur des épaules. Les bras sont souples.

Tournez lentement les paumes de main vers l'intérieur.

Les doigts sont légèrement écartés. Rapprochez les paumes de main, les bras en cercle, comme si vous tentiez de saisir une balle.

En même temps, portez votre attention sur l'énergie qui monte, depuis le ventre, jusqu'au plexus solaire.
Imaginez que vous avez dans vos bras une boule d'énergie.
Suivez cette boule du regard.
Faites une pause en retenant votre respiration.
Puis, sur l'expiration, déplacez la boule du plexus solaire jusqu'au niveau du cœur, et posez les mains à plat au niveau du « hara » centre vital à deux doigts sous le nombril.
Réalisez une deuxième fois l'enchaînement mains, cœur, plexus et « hara ».
La troisième fois, insistez sur la respiration.

Ressentir l'énergie du « dan tien »

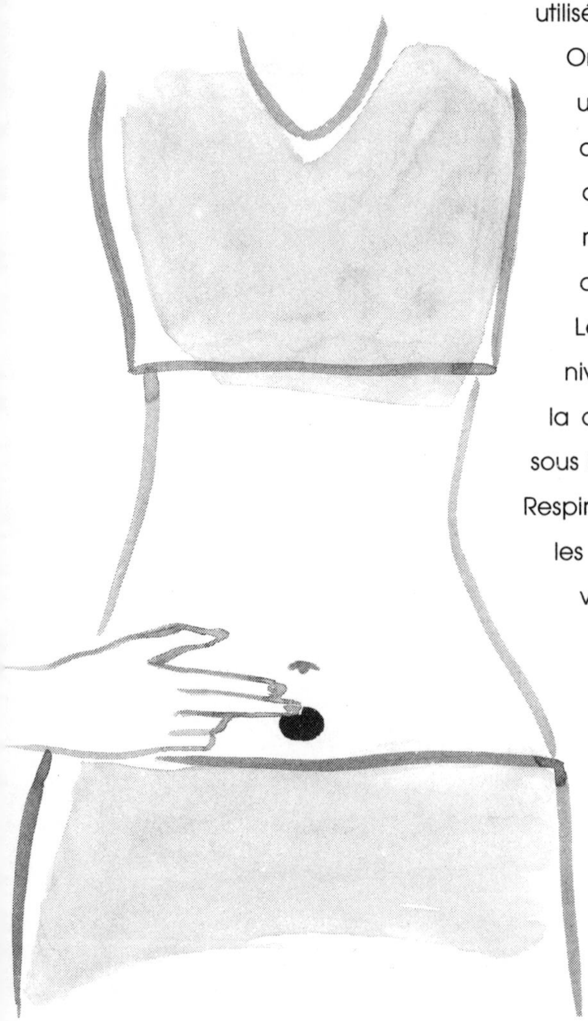

Le « dan tien » est un terme référentiel utilisé dans le taoïsme.

On peut le comparer à un chaudron, l'endroit où s'opère une certaine alchimie : une accumulation et une mise à disposition de l'énergie.

Le « dan tien » se situe au niveau du bas-ventre, à la distance de deux doigts sous le nombril.

Respirer par le ventre, comme les bébés, restaure notre vitalité et augmente nos défenses immunitaires.

Voici un exercice que je pratique au quotidien.

Je vous conseille de le faire le matin en vous levant, ou le soir avant de vous coucher.

Essayez de ne pas être dérangé pendant le temps de l'exercice. En dix minutes, vous obtiendrez des résultats. L'énergie sera renforcée au niveau du « dan tien ».

Le creux de la main gauche et de la main droite se posent l'une sur l'autre sur le bas-ventre.

Pour démarrer, faisons une relaxation globale, en relâchant tous les muscles du corps. De haut en bas.

La pratique

Debout, en position d'enracinement, les deux pieds écartés de la largeur du bassin, mains sur le « dan tien ». Inspirez, concentrez l'énergie sur le ventre. L'énergie pure qui entre à l'intérieur nourrit les organes, les muscles et le sang.

Expirez, détendez l'ensemble du corps, de la tête aux pieds. Le corps et l'esprit évacuent les énergies impures, les tensions et les éléments négatifs.

Répétez plusieurs fois cette opération.

Installez le sourire intérieur, le sourire de Bouddha sur votre visage.

Exercice d'harmonisation du yin et du yang

Dans la vie moderne, les tensions et le stress s'accumulent et entravent la circulation de l'énergie. Voici un mouvement qui réactivera le système du yin et du yang.

Le yin est l'élément féminin. Il représente la Terre, la nuit, l'immobilité et l'eau. Il est le symbole de la féminité.

Dans le cycle d'un jour, la nuit correspond au yin, le jour au yang.

Le yang est l'élément masculin. Il représente le ciel, le jour, le mouvement et le feu.
Il est l'opposé du yin et le complète. Le yang correspond à l'augmentation progressive de la luminosité et de la température, qui se produit au printemps et en été. Il est associé à la chaleur et à l'activité.
Comme le soleil se trouve dans le ciel, le ciel est yang. Par opposition, la Terre est yin.

Il y a du yin et du yang dans chaque élément.
L'équilibre interne du corps humain répond à ces alternances immuables de la nature. En s'adaptant aux fluctuations permanentes du yin et du yang de l'univers, l'homme reste en harmonie avec lui-même et avec les autres.

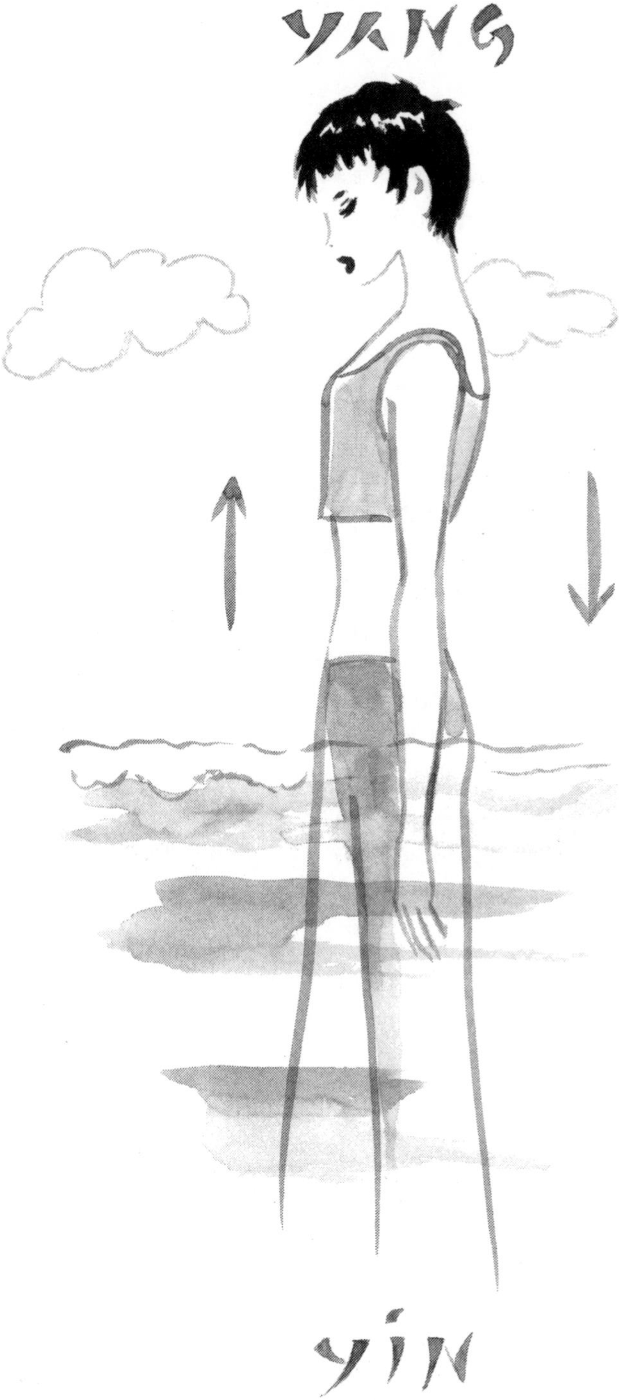

YANG

YIN

En harmonisant le yin et le yang, nous nous rechargeons en énergie, tout en évacuant les tensions. Nous retrouvons une énergie équilibrée entre la Terre et le ciel.

La pratique

Mettez-vous debout, les pieds bien enracinés et les jambes souples.

Inspirez, saisissez l'énergie de la Terre, pour la nourrir de l'énergie du ciel, et la redistribuer au corps.

Bras ouverts, les mains montent doucement de chaque côté du corps, en suivant la montée de l'énergie dans le corps, des pieds jusqu'au sommet de la tête, comme si le niveau de la mer montait à l'intérieur du corps, jusqu'au sommet du crâne.

Expirez, relâchez les épaules et les poignets.

Baissez les mains, en poussant vers le bas avec les poignets. Faites descendre l'énergie, jusqu'au bout des pieds.

Restez bien à l'écoute de vos sensations.

Le yin et le yang s'harmonisent car ils sont complémentaires.

Pratiques de gym douce

La gym douce prend en compte le corps dans sa totalité. Le temps de travail est moins important que le temps de repos. En pratiquant des exercices régulièrement, le corps change.

En gym douce, on travaille sur la respiration, les équilibres, les étirements, la musculature.

La respiration prime sur le mouvement.

Sur une respiration bien placée, on fait le mouvement en conscience, sans forcer. On est à l'écoute de soi. On fait le mouvement en accord avec sa respiration.

On équilibre, on réharmonise le corps.

Il est très intéressant de pratiquer cette gym douce en groupe car chacun a un ressenti différent.

Dans la gym douce, on découvre les capacités perdues.

On travaille à distance de la zone de tension, et on ne force pas le mouvement. On enlève la notion de vouloir.

J'ai suivi des cours de gym douce selon la technique du Dr Ehrenfried.

Les deux exercices à suivre sont enseignés dans cette méthode.

Le pont-levis

Cette pratique m'a fait beaucoup de bien notamment au niveau de mon dos.

Le but de cet exercice est de renforcer les muscles dorsaux.

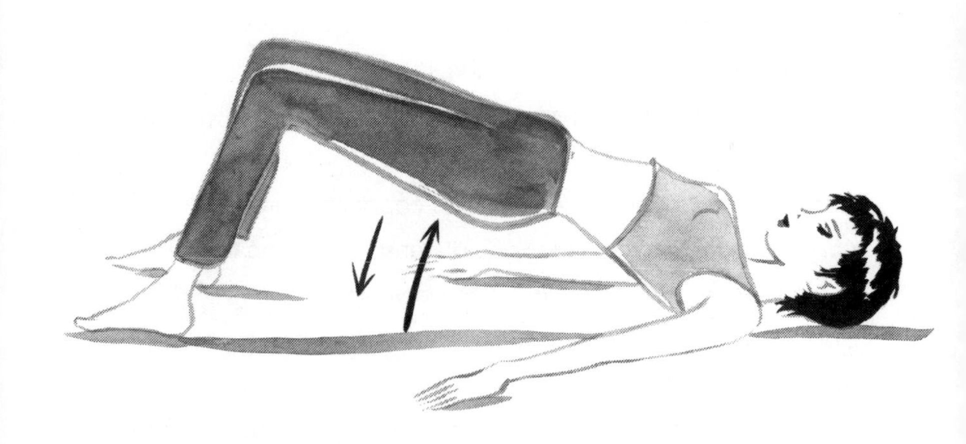

La pratique

Allongez-vous sur le dos.

Pliez les jambes l'une après l'autre.

Les pieds légèrement écartés de la largeur du bassin.

Les genoux forment un angle droit entre les cuisses et les genoux.

Les bras sont allongés.

Sur l'expiration, la colonne lombaire va se poser au sol.

En prenant appui sur les pieds, inspirez, soulevez le bassin puis les vertèbres les unes après les autres très progressivement sur plusieurs cycles respiratoires (inspire, expire) afin d'arriver à soulever la colonne jusqu'au milieu des omoplates réalisant ainsi un plan incliné entre les genoux et celles-ci.

On redépose la colonne au sol, on repose les vertèbres les une après les autres en repartant de la zone des omoplates jusqu'au niveau lombaire, on relâche bien et on prend un temps de repos avant de reprendre l'exercice à faire trois fois.

FICHE 20

L'enroulement du dos

Le sens de ce mouvement est de sentir un relâchement dans la colonne.

Cet assouplissement étire tous les muscles dorsaux. Cela donne une prise de conscience plus grande de son axe.

Debout, ressentez une meilleure verticalité. Faites ce mouvement en conscience.

La pratique

Debout, penchez la tête en avant et enroulez votre dos pendant que vous expirez progressivement.

À l'inspiration, on prend conscience des tensions du corps.

À l'expiration, on descend doucement en pliant les genoux.

Si vous avez des tensions, votre respiration aidera à les relâcher.

En fonction des possibilités de chacun, l'enroulement sera plus ou moins important. Dès que l'on sent une raideur, on arrête le mouvement, on plie les genoux pour mettre la colonne lombaire verticale et l'on vient redérouler la colonne.

Ressentez un bien-être global.

Huit pratiques express de gym douce pour dénouer les muscles

Rester longtemps assis peut devenir inconfortable et douloureux.
Apprenons à nous détendre en position assise.
Essayez ces quelques exercices rapides et faciles pour dénouer vos muscles.

1. Décrivez des petits cercles avec vos épaules (vers l'arrière, vers l'avant).

2. Faites des cercles avec votre tête (doucement, sans forcer, respectez vos vertèbres cervicales).

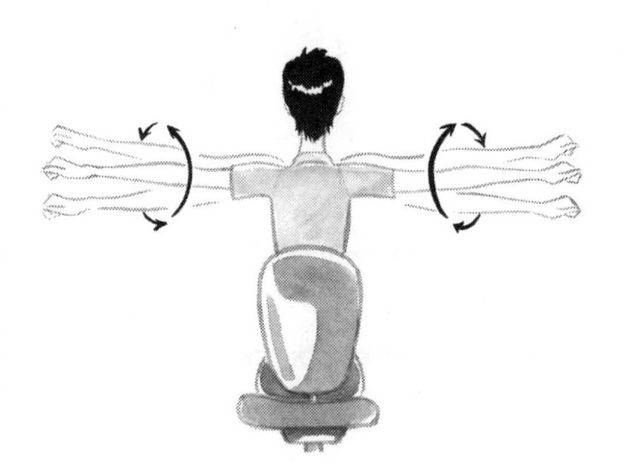

3. Tendez vos bras et faites des cercles (vers l'avant, vers l'arrière).

4. Étirez votre colonne vertébrale, mains croisées au-dessus de votre tête (paumes vers le haut)

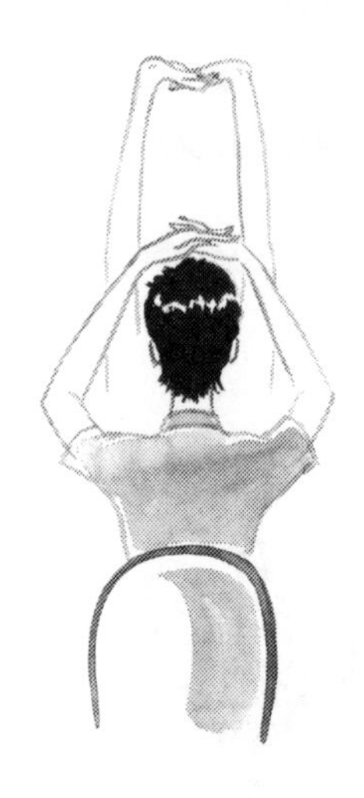

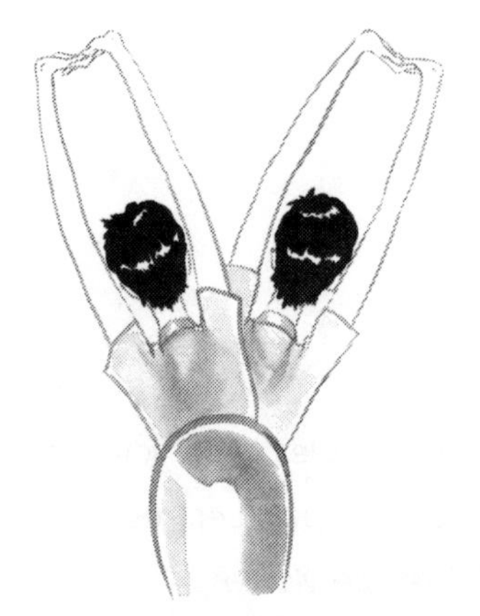

5. Toujours les mains au-dessus de la tête, étirez-vous sur les côtés.

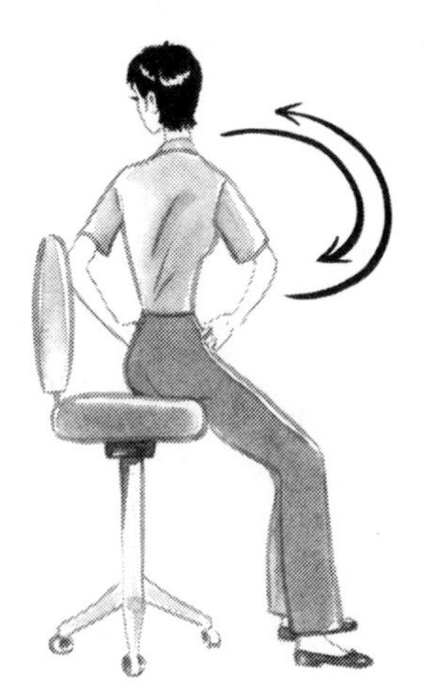

6. Rotations de la colonne vertébrale : les mains aux hanches, à partir de la taille, tournez-vous à gauche, puis à droite, allez le plus loin possible sans forcer.

7. Tendez vos jambes et décrivez des petits cercles avec vos pieds. Abaissez et relevez la pointe des pieds.

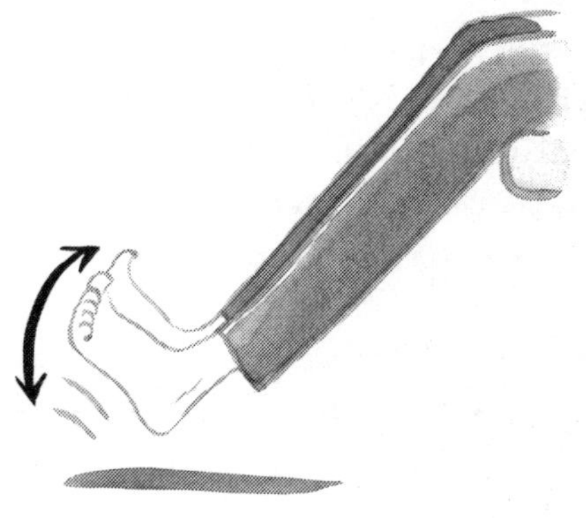

8. Repoussez un peu votre chaise et penchez-vous vers l'avant. Maintenez la position quelques instants, relaxez-vous, remontez lentement en déroulant vertèbre après vertèbre.

Pratiques de yoga

Le yoga n'est pas une gymnastique. C'est une discipline qui allie le mental et le physique.
Le yoga ouvre l'esprit et assouplit le corps. Il stimule notre système cardio-vasculaire, développe notre sens de l'équilibre, notre concentration et notre capacité à se sentir bien.

Le yoga englobe un ensemble de techniques : la méditation, la maîtrise des émotions, la concentration, la respiration et les postures corporelles.
Une posture de yoga, c'est une position du corps que l'on prend lentement avec une respiration donnée et que l'on conserve. Durant la posture, l'esprit est attentif et stable.
La posture se défait également lentement.
Elle est suivie d'un temps de repos, au moins aussi long que la durée de la posture elle-même, temps au cours duquel la respiration se stabilise et le mental s'apaise.
Il est recommandé de pratiquer le yoga l'estomac vide, à jeun le matin ou bien trois heures après un repas copieux, une heure après un en-cas.
Côté équipement, il suffit de disposer d'un tapis de yoga.
Voici deux postures que je vous recommande pour vous réveiller le matin et pour vous détendre le soir.

Posture solaire pour relancer l'énergie du matin

Le matin, avant de commencer votre pratique du yoga, faites plusieurs respirations lentes et profondes, tout en observant votre souffle.

Au début, le mental résiste au lâcher prise, mais petit à petit, il finit par lâcher.

La pratique

Debout, les jambes écartées, les pieds parallèles, légèrement rentrés à l'intérieur. C'est la position du triangle.

Étirez les bras de chaque côté, les mains souples, la tête droite, le dos et le bassin arrondis vers l'avant.

Respirez profondément, en fixant un point devant vous.

Faites des respirations pleines et vides et complétez avec des temps d'arrêt de quatre à cinq secondes.

Soyez attentif aux sensations de votre corps.

Sentez la tranquillité, la sérénité, la sécurité en vous, dans cette posture.

Sentez l'énergie passer sous la plante des pieds et remonter dans vos jambes, jusqu'au sommet de votre tête.

Restez quelques instants dans cette position, avant de démarrer votre journée remplie de vitalité.

Postures du soir

En pratiquant le yoga, notre esprit s'éclaircit, notre concentration se développe.

La pratique du yoga nous permet d'affiner nos perceptions, la vision que l'on a du monde et de soi-même.

Le rythme posture, temps de récupération, agit de façon bienfaisante sur l'ensemble du système nerveux. C'est cette alternance qui participe à l'aspect thérapeutique du yoga, universellement reconnu.

Voici deux pratiques à effectuer le soir pour vous détendre et vous préparer au sommeil.

La pratique

Position du lotus

Assis en tailleur, un seul pied se trouve sur la cuisse opposée, l'autre reste étendu au sol. La rectitude du dos est largement suffisante pour une respiration améliorée.

Pendant la posture, l'esprit se stabilise.

Voici une position de yoga très relaxante qui vous aidera à mieux dormir.

Agenouillez-vous les fesses sur les talons.

Penchez-vous en avant, jusqu'à ce que votre front touche le sol.

Étirez les bras en arrière, paumes vers le haut.

Gardez cette position pendant quelques minutes, en respirant profondément avec le ventre.

Pratiquer dans la nature

Rien n'est plus merveilleux que de pratiquer dans la nature : faire du chi kong tôt le matin dans un parc, se poser sur l'herbe pour faire du yoga apporte un supplément de bien-être et de ressourcement.

Embrasser l'arbre

La position « embrasser l'arbre » est une pratique qui s'effectue debout et qui permet un enracinement de tout le corps des pieds jusqu'à la tête.
Faites un essai et observez bien la position dans laquelle vous vous sentez la plus confortable possible.

• Comment rencontrer un arbre ?

Suivez cette tradition indienne.
Laissez-vous conduire vers un arbre. Faites confiance à votre intuition.
Restez debout à quelques mètres de lui et remerciez-le intérieurement de sa présence. Dites-lui les sentiments qu'il vous inspire.
Asseyez-vous face à lui, ou bien posez votre ventre ou votre dos contre le tronc.

Sentez l'énergie de bien-être pénétrer en vous.

Sentez-vous en connexion directe avec l'essence de la vie.

• Une histoire personnelle qui en dit long

« Lorsque j'étais enceinte, je suis allée me promener au bois de Vincennes et là j'ai posé mon ventre contre un tronc d'arbre. Quelques années après, je suis revenue avec mon fils dans ce bois et, de lui-même, il a posé sa tête contre ce même arbre pendant un long moment, en disant : "Il est beau cet arbre !" » Étonnant !

• Mon expérience avec les femmes enceintes

Dans mon travail quotidien avec les femmes enceintes, j'utilise beaucoup les visualisations des arbres pour développer la confiance en soi et la sécurité le jour de l'accouchement, au moment des respirations de poussées finales. « Au moment de la poussée, imaginez que vous êtes adossée à un arbre, en totale sécurité. Inspirez l'énergie de l'arbre qui pénètre sous vos plantes de pieds et remonte jusqu'en haut de vos poumons. Déposez vos dernières douleurs contre les branches de l'arbre et poussez en toute confiance. »

La pratique

Prenez un instant pour faire le calme en vous.

Relâchez les épaules, le bassin et les genoux.

Avant de commencer les mouvements, prenez quelques secondes pour vous préparer. Installez-vous dans la position debout, sentez bien vos appuis sur le sol.

Les pieds sont écartés de la hauteur des épaules.

Enracinez votre corps, en imaginant que, sous vos pieds, se trouvent des racines qui se prolongent dans la terre.

Gardez le dos droit, la nuque étirée vers le haut. Le sommet du crâne est connecté à l'énergie du ciel, comme tiré par un fil, le menton rentré pour aligner les cervicales, les jambes détendues, légèrement fléchies.

Respirez lentement.

Placez vos paumes de mains face au bas-ventre, comme si vous vouliez entourer un arbre et y puiser son énergie.

Soyez un chêne !

Relâchez les articulations des épaules et des coudes.

Laissez votre corps et votre esprit se détendre.

CHAPITRE 4

Les automassages

« J'ai réalisé qu'il y avait un lien entre prendre soin de son appartement et prendre soin de soi. Dans les deux cas, on prend soin de son intérieur ! »

(Odile Germain.) Voir *les fiches feng shui.*

• Les automassages

Les automassages prennent leur source dans les traditions chinoise et japonaise.

Ils sont connus sous le nom de « do in ».

Do signifie la voie.

In signifie les gestes.

Notre corps est traversé par des méridiens qui font circuler l'énergie vitale (le ki en japonais). Lorsque nous sommes tendus et stressés, cette énergie circule plus difficilement.

La pratique du « do in » nous aide à rétablir cette circulation au moyen de pressions, de martèlements ou de frictions des doigts sur les points d'acupuncture.

La pratique régulière des automassages s'intègre parfaitement à notre vie moderne. Elle nous permet de prendre soin de nous-même, de recharger nos batteries et de renforcer nos sensations de bien-être, d'énergie et de vitalité.

• Une self-technique

Les automassages que je vous propose suivent les principes de l'énergétique chinoise et de l'acupuncture. L'avantage ? Vous n'avez pas besoin d'aiguilles ! Vous pouvez vous-même vous soulager. Vos mains et vos doigts sont vos meilleurs instruments de bien-être.
Ces automassages sont à la portée de tous. Ils ne demandent ni matériel, ni connaissances particulières. Certains de ces gestes sont innés : par exemple, se frotter les mains pour se réchauffer, ou se frotter les yeux lorsque l'on sent la fatigue nous gagner.
Pratiquez de préférence les automassages le matin à jeun.

• La préparation

Installez-vous confortablement sur un coussin sous le coccyx.
La position traditionnelle est en « seiza », c'est-à-dire en position assise, sur les genoux légèrement écartés. Les talons sont ouverts et les gros orteils croisés. Cette posture permet une tenue correcte du bassin et de la colonne vertébrale. Cependant, si vous avez du mal à rester dans cette posture, vous pouvez vous asseoir en tailleur, ou tout simplement sur une chaise.
Il convient d'alterner des manœuvres relaxantes et stimulantes, rapides et calmes. Commencez chaque massage en levant les bras au-dessus de la tête, frottez vos mains l'une contre l'autre, avec énergie, jusqu'à ce que vous ressentiez de la chaleur dans vos paumes. Cette chaleur, ce magnétisme qui émane de vous, sera bénéfique pour tous vos massages.

Automassage du crâne

La tête est riche en points et zones réflexes dont l'action influence l'ensemble du corps. Tous les organes sont représentés dans la tête, et le crâne est une région sensible.

Le massage du crâne améliore l'irrigation du cuir chevelu (*voir* la fiche intitulée « Beauté des cheveux »). Il peut également avoir une action bénéfique sur l'estomac et la zone abdominale.

Pour faciliter votre massage, appuyez vos coudes sur une table et utilisez vos bras pour soutenir votre tête.

La pratique

Manœuvre n° 1

Pour commencer, chauffez-vous les mains en les frottant l'une contre l'autre.

Vos doigts sont écartés, bien souples et tendus, sans être raides.

Vous travaillez avec la pulpe de vos doigts.

Faites un massage circulaire sur toute la surface de votre crâne.

Placez vos doigts sur votre crâne et déplacez-les comme si vous vous faisiez un shampoing.

N'oubliez pas de frotter derrière les oreilles.

Manœuvre n° 2

Placez vos mains de chaque côté de votre crâne. Elles restent sur place, plaquées et mobilisent lentement votre cuir chevelu.

Tirez légèrement vos cheveux à la racine. Puis laissez les couler entre vos doigts.

Manœuvre n° 3

Placez vos deux mains en « râteau », sur le haut du front et laissez-les glisser vers l'arrière sur toute la chevelure, comme si vous vous passiez un peigne dans vos cheveux.

Terminez en tapotant votre crâne du bout des doigts.

Cette action favorise la circulation sanguine du cuir chevelu (*voir* la fiche intitulée « Beauté des cheveux »).

Je vous invite à vous entraîner, en suivant peu à peu votre intuition.

Automassage du visage

Le massage du visage doit être effectué avec douceur.

Sur le visage, il y a de nombreux méridiens (canaux subtils où passe l'énergie) très sensibles au toucher.
Le front représente la zone des pensées, de l'intuition et de la méditation.
Au-dessus de la ligne des sourcils, vous sentirez des dépressions où s'accumule l'énergie. Si cette partie du visage est douloureuse, c'est que l'énergie est bloquée.
Les yeux sont le miroir de l'âme. Avec l'exercice du « palming », vous aurez une meilleure vue, mais aussi une plus grande détente des muscles des yeux.
Le nez est la colonne vertébrale du visage. Il est en relation avec les systèmes circulatoire, respiratoire et digestif.
Les oreilles sont le miroir du corps. Dans l'oreille, tous nos organes sont représentés en miniature.
La bouche est en relation avec le tube digestif. Il est important de bien détendre les mâchoires, zone souvent crispée.
Le menton est en relation avec le rein et la vessie. Une fente dans le menton est un signe d'une grande vitalité !

La pratique

Frottez-vous les mains.

Plaquez vos mains sur le front et déplacez-les vers l'extérieur, en les faisant glisser vers les tempes et en suivant la ligne de vos sourcils.

Lissez « le point des soucis », situé entre les deux sourcils, au niveau du troisième œil, avec un index, puis l'autre, comme si vous vouliez vous dégager de vos soucis.

Pincez délicatement la ligne de vos sourcils entre le pouce et l'index.

Faites des petits cercles au niveau des tempes, dans le sens des aiguilles d'une montre, avec l'index et le majeur.

Répétez plusieurs fois ces petits mouvements.

Frottez les ailes de votre nez, avec toute la longueur de votre index.

Réalisez la même opération sous votre nez, au niveau de la moustache.

Repérez l'articulation qui se situe entre votre mâchoire inférieure et votre mâchoire supérieure. Tournez vos doigts dessus.

Pincez délicatement le lobe de vos oreilles entre le pouce et l'index, le pouce derrière, l'index devant. Tirez-vous les oreilles !

Lissez votre menton avec le dos de la main, en alternant votre main gauche et votre main droite.

Lissez bien vos joues et tout le visage, tout doucement, du bout des doigts.

Secouez-vous les mains, comme pour vous libérer des tensions.

Puis, comme au tout début, chauffez-vous les mains, en les frottant l'une contre l'autre. Posez-les délicatement sur vos yeux, comme une coquille. Ressentez cette chaleur qui favorise la détente de tous les petits muscles des yeux. Cet exercice s'appelle le « palming ».

Automassage de la nuque et des épaules

Je vous propose un automassage qui va vous aider à détendre et à dénouer vos trapèzes.

La nuque et les épaules sont des zones où s'accumulent souvent nos tensions, provoquant des contractures et des courbatures.

Le muscle que l'on nomme « trapèze » est situé de la base du cou, jusqu'à l'articulation du bras. C'est le muscle de la peur, de l'anxiété et du froid.

Je pratique cet automassage lorsque je travaille sur ordinateur et même parfois lorsque je téléphone. C'est un geste réflexe. Faire une pause détente, c'est aussi nécessaire à son hygiène de vie que de se brosser les dents.

La pratique

Commencez par détendre le côté qui semble le plus tendu.

Saisissez le muscle de l'épaule à pleines mains et pressez-le plusieurs fois, avec la paume de votre main, en déplaçant les pressions de la base du cou à l'articulation de l'épaule.

Main en coquille, frappez trois fois, le long de votre épaule.

Saisissez à nouveau le muscle de l'épaule à pleines mains, faites-le vibrer et lâchez-le vigoureusement.

Répétez la même opération sur l'autre épaule.

Saisissez la nuque à pleines mains et malaxez-la profondément avec votre paume. Alternez la main droite et la main gauche.

Croisez vos deux mains derrière la nuque et faites un mouvement de va-et-vient, comme si vous vous frictionniez avec une serviette.

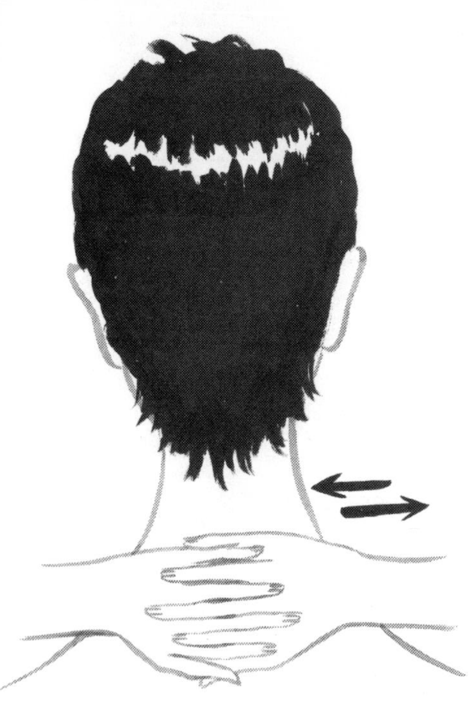

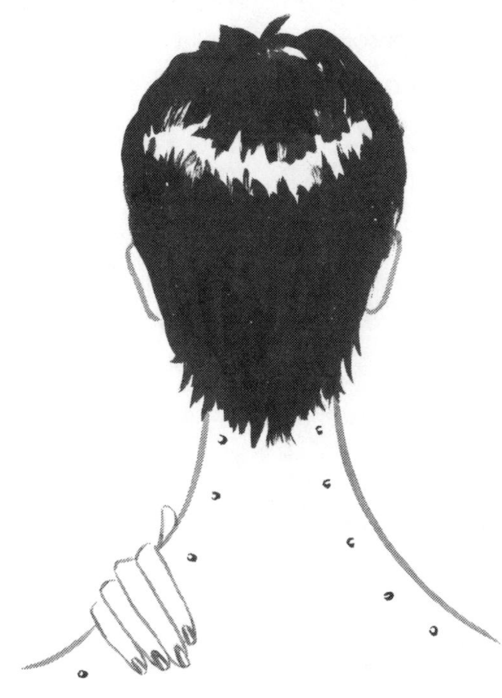

Automassage de la main

Les zones réflexes des organes internes se trouvent dans notre paume, comme sous la plante des pieds.

Les mains sont nos outils les plus précieux. Elles sont en relation directe avec l'énergie.

Les paumes de la main sont réceptrices et les doigts sont émetteurs.

L'ouverture de la paume de la main, qui se ferme lorsque l'on est tendu et angoissé, procure une sensation inhabituelle, particulièrement agréable.

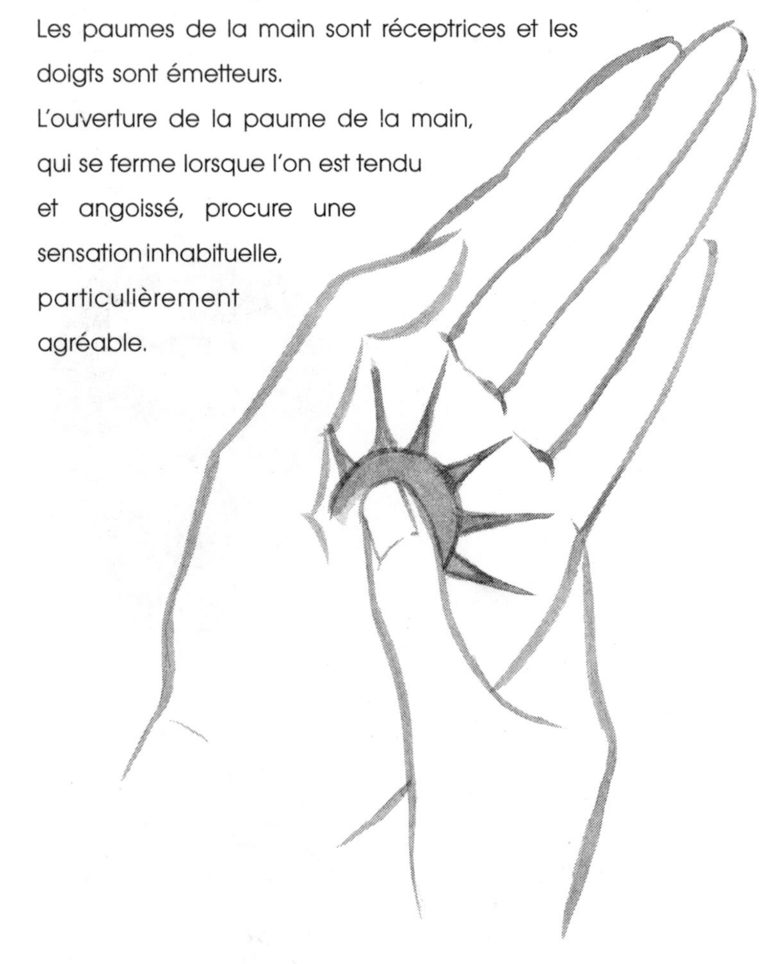

La pratique

Chauffez vos deux mains, en les frottant vigoureusement l'une contre l'autre.

Saisissez le poignet dans la main opposée, et faites-le tourner vers la gauche, puis vers la droite, en le maintenant avec fermeté.

Posez votre pouce au milieu de la paume de la main, en la massant profondément, comme si vous vouliez dessiner les rayons du soleil.

Massez du centre vers l'extérieur.

Ce point central à l'intérieur de la main, surnommé le « palais du travail », vous permettra de stimuler votre énergie vitale.

Saisissez chaque doigt entre le pouce et l'index, et « glissez-étirez », en effectuant un petit pincement final sur l'extrémité du doigt.

Effectuez la même opération sur l'autre main.

Le point de la confiance

À la jointure du pouce et de l'index se trouve un point d'acupuncture qui vous permet de lutter contre le stress et l'anxiété et de retrouver la confiance et le calme.

Avant un examen, une représentation, pour vaincre le trac, massez avec votre pouce droit le point confiance de votre main gauche dans le sens des aiguilles d'une montre.

Massez-le doucement car il est sensible et peut être douloureux.

Vous pouvez le masser avec des huiles essentielles relaxantes (*voir* la fiche sur les huiles essentielles).

La source bouillonnante du pied

Tous nos organes sont représentés dans le pied. La plante du pied est un récepteur d'énergie. Je vous conseille de marcher pieds nus le plus souvent possible pour vous régénérer.
Vous pouvez pratiquer cet automassage avant de vous coucher, en écoutant de la musique douce.

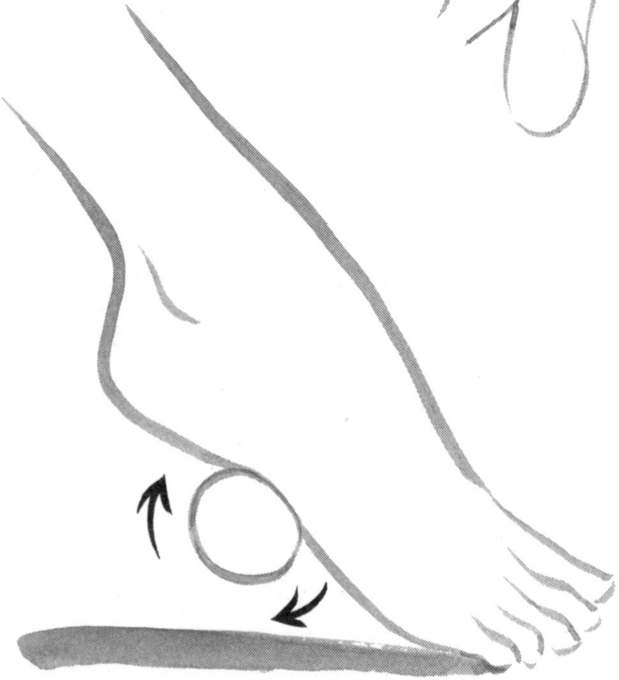

La pratique

Chauffez votre voûte plantaire dans un petit mouvement énergique qui rappelle celui du rabot.

Avec un pouce, massez profondément au creux du pied, zone qui correspond au plexus solaire, en faisant des petits cercles dans le sens des aiguilles d'une montre.

Saisissez le gros orteil entre trois doigts, puis effectuez de petits cercles, tout le long de votre orteil, en partant de la base et en pinçant légèrement l'extrémité.

Effectuez la même opération sur les quatre orteils.

Poignets souples, tapotez sur toute la surface du pied, puis la main en coquille, frappez trois fois sur le pied et laissez vos deux mains contre votre pied, comme un petit chausson.

Répétez tous ces mouvements sur l'autre pied.

Vous pouvez également pratiquer ce massage en faisant rouler une petite balle sous la plante des pieds.

Sentez la chaleur réconfortante de cette zone que les chinois nomment « tong tend », et qui signifie la source bouillonnante.

Pour bien dormir, massez pendant quelques minutes la plante de vos pieds, avec le tranchant de votre main, d'avant en arrière.

En massant vos pieds, c'est tout votre corps que vous décontractez et que vous réconfortez. Ces pratiques vous permettront de passer une douce nuit.

CHAPITRE 5

La méditation zen

« Si vous entrez dans une pièce où quelqu'un vient de méditer, vous ressentez ce bien-être. C'est une sensation très agréable. »
(David Lynch.)

On sait maintenant qu'en méditation, on obtient un repos trois fois plus profond que celui obtenu lors d'une phase de sommeil paradoxal.

Méditer c'est se régénérer, prendre des forces pour être plus apte à affronter la réalité.

Lorsque vous méditez, vous pouvez observer vos émotions comme des phénomènes extérieurs qui finissent par ne plus vous atteindre.

Acceptez les pensées qui surgissent sans leur donner d'importance.

Il n'est pas question de se perdre, mais au contraire, de retrouver en profondeur la signification d'être au monde.

Je pratique la méditation pour m'aider à prendre du recul, à lâcher prise, à y voir plus clair dans ma vie.

Après avoir médité, je me sens légère et remplie d'une nouvelle énergie.

Durant la méditation, je vois des images et des pensées défiler devant moi. Je les laisse passer comme passent des petits nuages dans le ciel. Comme si je visionnais un film sur mon écran mental. Détachée de moi-même, je me sens alors davantage reliée au monde qui m'entoure.

Méditer, c'est juste faire une pause, revenir à l'intérieur de soi.

« Pensez sans penser, penser du tréfonds de la non-pensée », disait Me Deshimaru qui a consacré sa vie à transmettre le véritable esprit zen en Europe.

Pour atteindre ce calme, cette tranquillité, cette détente du corps et de l'esprit, je vous conseille de pratiquer régulièrement la méditation, ne serait-ce que quelques minutes par jour. Vous en ressentirez immédiatement les bienfaits.

La méthode que j'ai créée, la « médit-action », a comme base la méditation. Elle nous permet de méditer et d'agir en toute confiance.

Les bases de ma méthode sont la respiration, la détente musculaire, la visualisation et la méditation.

Préparation : comment bien méditer

« Rien n'assure mieux le repos du cœur que le travail de l'esprit. »

(Duc de Lévis, extrait des Pensées détachées.)

Créer votre endroit de méditation

Choisissez un endroit calme que vous allez dédier à la méditation. Un lieu bien aéré, propre et peu encombré...

La bonne respiration est la base de toute méditation. Elle doit être ample, régulière et nasale pour détendre le corps, apaiser l'esprit et réguler toutes nos fonctions neurovégétatives (battements cardiaques et circulation sanguine).

Commencez toujours par une longue expiration, puis enchaînez avec une inspiration douce et profonde. Sentez l'air pénétrer dans vos narines et en ressortir.

Faites le vide autour de vous en vous déconnectant des bruits de l'extérieur. Essayez de neutraliser vos pensées. Au début, elles reviennent malgré nous.

Effacez-les encore et encore et petit à petit vous verrez que c'est possible.

Entraînez-vous à méditer. Si vous êtes persévérant, vous obtiendrez des résultats.

Une bonne posture est essentielle : nuque et dos droit, ventre souple et épaules relâchées.

Pour ne pas ressentir de fatigue, choisissez la position qui vous convient.

Trois positions sont possibles :

• ASSIS SUR LE SOL

On met un petit coussin sous le coccyx, les jambes croisées en lotus. Le bassin est basculé en avant, de telle sorte que les genoux touchent le sol.

• ASSIS SUR UNE CHAISE

Le dos droit, sans être rigide, les paupières sont détendus, les yeux restent ouverts.

• ALLONGÉ SUR LE DOS

Sur un matelas ferme, pour un bon maintien de la colonne vertébrale.

La posture zazen

La posture est précise, elle exige de la concentration et un certain effort au début.

Grâce à la grande stabilité de la posture, il est possible de rester longtemps immobile.

Progressivement, restez dans cette posture de cinq à dix minutes par jour.

- La respiration

La respiration en zazen est une respiration abdominale, longue, profonde et silencieuse.

- Les pensées

La détente musculaire se fait sans que le mental y participe.

L'attitude par rapport à la respiration est liée à l'attitude par rapport aux pensées, laissez-les passer, se désagréger.

La pratique

Asseyez-vous sur un coussin posé sur le sol.

Détendez votre corps dans cette position assise, en commençant par le visage.

Détendez votre front, vos yeux, l'arrière de votre cou, puis les muscles de la bouche. Abaissez le menton, desserrez les dents et décrispez les mâchoires.

Relâchez les muscles des épaules, les muscles des bras et des mains. Sentez vos deux bras devenir lourds, comme attirés par la pesanteur.

OM

Détendez les muscles des jambes, jusqu'au bout des orteils.
Les jambes sont croisées, le bassin est basculé en avant de façon à ce que le ventre soit relâché et que les genoux touchent le sol.
La colonne vertébrale étirée, le menton rentré pour redresser la nuque et pousser vers le haut avec le sommet du crâne, les épaules et le dos sont détendus.
Le dos est bien aligné, droit, sans tensions musculaires.
Les côtes sont ouvertes et les muscles des abdominaux relâchés.
La tête est droite, les épaules se relâchent, le regard est baissé, les yeux se ferment doucement, l'extrémité de la langue se place à l'avant du palais.
La main gauche est posée sur la main droite, les paumes vers le haut, les pouces forment un joli ovale, ils se touchent aux extrémités et sont dans le prolongement l'un de l'autre.
Le contact entre les pouces est délicat.
Concentrez-vous sur ce point de contact entre les deux pouces.
Les deux mains sont posées sur le haut des cuisses, en contact avec l'abdomen à deux doigts au-dessous du nombril (point que l'on nomme le « hara »). Le « hara » est le centre vital de notre corps, là ou l'énergie bouillonne.
Les conditions de l'immobilité sont ainsi créées. Assis dans cette posture, on se concentre sur l'expiration.
Restez pendant trois minutes dans cette position relâchée, sans rien faire, en prenant conscience de votre corps détendu. Puis, adoptez une position plus facile et faites le bilan de ce qui s'est passé dans votre mental (idées et pensées parasites) et dans votre corps (tensions, douleurs dans les jambes, dans les épaules, dans le dos, impatience qui traduit l'envie de bouger et des respirations saccadées).

Méditer assis sur une chaise

La pratique

Asseyez-vous sur une chaise

Faites la même détente que la fiche 30 mais gardez la posture pendant cinq minutes.

Le dos droit, sans être rigide, les paupières détendues, les yeux restent ouverts.

Les pieds à plat, légèrement écartés, les jambes pliées forment un angle droit, la colonne vertébrale est déroulée et les épaules sont relâchées. Le menton est rentré afin de soulager la nuque. Cette position fait du bien aux lombaires et à tout le dos.

Faites des pauses de méditation au bureau dans cette position assise.

Un monologue intérieur va se faire entendre.

Observez votre activité mentale.

Imaginez que vos pensées se trouvent à l'intérieur de petits nuages éphémères.

Laissez passer vos pensées, en adoptant une attitude neutre : il est fréquent de vouloir chasser nos pensées ou les retenir, c'est alors qu'elles se multiplient et dérangent la paix de notre esprit. Prenez conscience que vous êtes en train de penser à autre chose et revenez à votre respiration. Comptez le nombre de respirations que vous faites sur l'expiration, cela vous aidera à vous concentrer.

La méditation assise est un moyen de retourner chez soi et de prendre soin de soi. À l'instar de la représentation du Bouddha sur l'autel, nous pouvons nous aussi rayonner la paix et la stabilité. Nous nous asseyons le dos bien droit avec dignité et retournons à notre respiration. Nous portons notre pleine attention à ce qui se passe à l'intérieur et autour de nous... La méditation assise apporte beaucoup de bienfaits : calme intérieur, sérénité, joie.

Méditer en position allongée

Une attention toute particulière est portée à l'expiration, l'énergie descendant dans le bas-ventre, sous le nombril, à mesure que les poumons se vident. C'est une respiration naturelle, douce et ample, qui a le mérite d'apaiser l'esprit et de l'élargir jusqu'aux confins de l'univers.

La pratique

Allongez-vous sur un matelas

Pour un bon maintien de la colonne vertébrale, allongez-vous sur un matelas ferme. Les bras reposent le long du buste, les paumes sont tournées vers le ciel. Les jambes sont légèrement écartées et les pieds ouverts vers l'extérieur.

Si vous avez mal au dos, mettez un coussin sous les genoux.

Un coussin sous la tête vous permettra de mieux respirer.

Observez le rythme de votre respiration. Cela va vous aider à lâcher vos pensées, en vous focalisant uniquement sur votre souffle.

Inspirez de l'air frais dans la narine droite. L'air passe dans le cerveau droit puis dans le cerveau gauche.

Expirez, l'air passe dans la narine gauche et ressort chaud.

Comptez quinze respirations complètes (inspiration et expiration), ce qui prend environ une minute, puis changez le sens de ce trajet imaginaire.

En inspirant, un air frais entre dans la narine gauche, passe dans le cerveau gauche, traverse et passe dans le cerveau droit.

En expirant, l'air passe dans la narine droite et ressort chaud.
En inspirant par les deux narines en même temps, l'air frais circule dans les hémisphères cérébraux.
En expirant, il ressort chaud par les deux narines.

Ce petit exercice respiratoire, support de notre concentration, est une aide pour que votre esprit reste en contact avec l'instant présent et interdise ainsi l'entrée aux autres pensées. Petit à petit, votre esprit va se calmer.

Méditer en marchant

J'adore marcher en toute saison. Cela me détend, me permet de lâcher prise avec mes pensées et de méditer tout en marchant.

Marcher m'aide à être en pleine conscience avec moi-même et avec mon entourage. La pleine conscience est l'énergie générée par une personne qui est pleinement consciente de ce qui se passe dans le moment présent… Être pleinement conscient, c'est être vraiment vivant, présent et faire un avec ceux qui sont autour de nous et avec ce que nous sommes en train de faire. Nous établissons une harmonie entre notre corps et notre esprit lorsque nous marchons.

La marche inclut l'esprit méditatif dans l'action.

Il nous arrive de marcher énormément dans une journée. Cette méditation marchée vous aidera à développer la concentration de votre esprit.

La pratique

Commencez par porter votre attention sur la succession de vos mouvements, quand vous marchez : une jambe se déplace, puis votre pied se pose par terre.

Sentez le poids de votre corps sur le sol.

Soyez dans la conscience de chacun de vos pas.

Prenez conscience que vous êtes en train de marcher.

Pour commencer, marchez lentement, puis augmentez la cadence.

Le but de cette marche est d'améliorer la concentration de votre esprit et de détendre tout votre corps.

Prenez conscience du flux d'air qui entre et sort de votre nez, et sentez combien votre respiration est légère, naturelle, calme et paisible.

Arrêtez-vous, regardez autour de vous et voyez comme la vie est merveilleuse : les arbres, les nuages blancs, le ciel infini. Écoutez les oiseaux, savourez la brise légère. La vie est autour de nous, nous sommes vivants, en bonne santé, capables de marcher en paix. Marchez comme une personne libre et sentez vos pas devenir plus légers au fur et à mesure que vous marchez. Exprimez votre gratitude et votre amour à la terre.

Appréciez tous les pas que vous faites, chaque pas vous nourrit. Vous pouvez, si vous le souhaitez, utiliser un mot positif à chaque pas. Faites deux ou trois pas pour chaque inspiration et pour chaque expiration.

À l'inspiration : « Je suis bien », à l'expiration : « Je suis à ma place ».

À l'inspiration : « Je suis ici », à l'expiration : « Maintenant ».

À l'inspiration : « Je suis solide », à l'expiration : « Je suis libre ».

PARTIE 2

Devenez votre propre coach

Introduction

Mémoire, concentration, gestion de son stress interne, confiance en soi... Ces capacités s'acquièrent avec le temps et la persévérance.

Nous sommes tous capables d'éprouver de la sympathie envers les autres, mais avons-nous suffisamment d'affection pour nous-mêmes ? Pour devenir son propre coach, il faut avant tout s'apprécier, s'aimer.

Alors, reconnaissez vos qualités, vos capacités.

Il est également essentiel d'apprendre à gérer ses émotions nocives et incontrôlées comme la colère, la haine, la rancune et la rancœur.

Nous ne pouvons pas toujours agir sur le monde extérieur, mais nous pouvons agir sur notre monde intérieur, sur nos pensées et nos émotions. Il nous appartient de nous connaître, si nous voulons changer ce qui ne va pas dans notre vie...

Nous avons le pouvoir de construire et le pouvoir de détruire. Il est donc primordial de renforcer nos pensées positives et de pratiquer des exercices de « zénitude » et de relaxation pour trouver le calme intérieur, pour éloigner les pensées parasites, le rap intérieur, ces rengaines qui tournent en boucle dans notre tête à la façon d'un disque rayé et qui envahissent notre esprit sans même que l'on en ait conscience.

L'inquiétude n'est qu'une émotion. Le plus souvent, on se torture l'esprit pour des événements qui n'auront peut-être jamais lieu. Le pouvoir négatif de l'imagination n'est plus à démontrer.

Essayez le contraire, utilisez votre imagination positive : la visualisation est un moyen efficace de changer son état d'esprit.

Accordez-vous des instants de calme dans la journée. Inscrivez-les dans votre agenda et respectez l'heure de ces rendez-vous avec vous-même.

Prenez de temps en temps, une minute de vacances mentales. Imaginez-vous être dans un endroit qui vous ravit. Profitez-en pour respirer calmement.

Ne rien faire, cela s'apprend. Alors au moins un jour par semaine, ne programmez rien pour la journée. Faites-vous plaisir, reposez-vous, rêvez, flânez, faites-vous des petits cadeaux. Essayez, cela fait vraiment du bien.

CHAPITRE 1

Développez votre concentration

Pour bien vous concentrer, ne vous laissez pas distraire par les bruits du monde extérieur.

Si vous vous concentrez uniquement sur l'action que vous êtes en train d'effectuer, vous commettrez moins d'erreurs.

On sait bien que les enfants qui ont du mal à se concentrer travaillent moins bien.

La concentration correspond à une action mentale dynamique.

L'histoire que l'on raconte le soir, aux enfants de deux à sept ans, a des effets bénéfiques sur leur concentration. Pendant que vous lisez ces lignes, vous vous concentrez naturellement.

Les ennemis de la concentration sont la nervosité, le manque de sommeil et la fatigue.

La concentration est le fondement de la méditation.

La concentration calme le mental et rend les idées plus claires.

Une bonne concentration renforce la mémoire et améliore votre capacité à être plus précis, votre discernement.

Faites de vos tâches répétitives des exercices de concentration.

Dans le zen, il est vital d'être dans l'ici et maintenant lorsque l'on effectue une action.

Seule l'activité que vous êtes en train de faire compte. Si vous développez votre faculté d'attention en étant réellement là à votre présent, vous arriverez plus facilement à rejeter toutes les pensées parasites qui viennent troubler votre esprit.

Se concentrer sur un objet

Quelle que soit la technique utilisée, se concentrer consiste à porter son attention sur un objet que vous avez choisi et à l'y maintenir, sans vous laisser distraire par quoi que ce soit. Votre perception de l'objet doit être stable et bien concentrée sur l'objet.

Avec de la patience et de la persévérance, votre mental s'apaisera et sera donc plus apte à mener à bien une tâche avec précision et concentration. Lorsque l'on travaille, il est primordial de se concentrer sur un seul objectif à chaque fois. Cette capacité de concentration augmentera lorsque vous commencerez à méditer.

La pratique

Asseyez-vous au calme.

Fixez un point au loin, ou bien un objet de votre choix.

Cela ne doit pas être un objet trop complexe. Commencez par un fruit ou un objet de la nature.

Fixez cet objet, avec attention. Observez bien tous ces détails afin qu'ils s'inscrivent dans votre cerveau.

Distinguez les traits de l'objet.

Puis fermez les yeux et représentez-vous mentalement l'objet que vous avez fixé. Tâchez de retrouver ses moindres détails. Prêtez-lui toute votre attention.

Ne le laissez pas s'éloigner, ramenez-le aussitôt dans le champ de votre pensée pour le « voir » comme s'il existait réellement. Essayez de prolonger chaque jour l'exercice.

La pratique du « om » pour vaincre les pensées parasites

Le son est composé de vibrations. Pour libérer l'énergie du son, nous le répétons sur un certain rythme. « Om » est le son originel, celui à partir duquel sortent tous les autres sons.

Je pratique la concentration sur les sons et notamment sur le son « om » qui aide à vider le cerveau des pensées parasites parce qu'il purifie les couches profondes de l'organisme. Il développe la concentration, la patience et la détermination.

La pratique du « om »

Debout, les bras bien souples, les jambes relâchées, commencez par faire une large inspiration par le nez.

Puis, à l'expiration, prononcez le son « om », en vidant l'air de vos poumons et en allant le plus loin possible dans votre souffle.

Pour être en pleine conscience

Tout comme les moines tibétains, maintenez votre pleine conscience au cours de vos activités quotidiennes. Poser un regard neuf sur l'acte que vous allez accomplir peut transformer vos perceptions, même pour des gestes quotidiens comme ouvrir un robinet, allumer la lumière ou fermer une porte. Quand nous concentrons notre esprit sur l'action que nous sommes en train de faire, nous retournons à nous-même et devenons plus attentifs à chaque mouvement.

La pratique

Quand nous tournons le robinet, nous pouvons regarder en profondeur et voir combien l'eau est précieuse. Si l'on prend conscience que sur cette planète des millions de gens manquent d'eau potable alors nous pouvons mesurer l'importance d'une seule goutte d'eau. Lorsque nous mangeons, prenons conscience de ce que nous mangeons, de la saveur, de la qualité de nos aliments, du privilège que nous avons de pouvoir manger à notre faim.

CHAPITRE 2

Améliorez votre mémoire

Maîtriser sa mémoire, c'est acquérir de nouvelles connaissances et savoir les réactiver aux moments opportuns. Cette disposition demande de l'entraînement.

Nous avons une mémoire à court terme et une mémoire à long terme. Notre mémoire à court terme couvre quinze secondes au cours desquelles s'opère la sélection de ce que nous allons stocker ou rejeter.

La mémoire à long terme a emmagasiné tous les événements anciens de notre vie qui peuvent ressortir à tout moment.

Notre cerveau est ainsi organisé : une pensée, une idée, un souvenir en entraînent automatiquement une autre à laquelle elle est liée.

Les associations peuvent venir très facilement.

Les ressemblances peuvent être visuelles, sonores.

Par exemple si vous apprenez l'anglais, le mot maison se dit *house*. C'est comme notre mot housse, « la maison de vêtements ».

Habituez-vous à trouver des ressemblances à tout, au hasard de votre journée.

En vous disant : « Tiens, cela me fait penser à cette chose », vous la faites revenir, vous la répétez pour mieux l'imprimer dans votre mémoire.

Voici quelques fiches qui vous aideront à améliorer votre mémoire.

FICHE 37

La gymnastique des indices

La gymnastique des indices, c'est l'art de percevoir le plus d'aspects possibles de tout ce qui nous entoure. C'est l'art de vivre en étant attentif à ce que l'on vit.

Cette gymnastique du cerveau nous aide à retrouver souvenirs et connaissances. Chaque indice est une tirette qui fait revenir le reste automatiquement.

La pratique

Choisissez une image et accordez-vous quelques minutes pour relever le plus d'indices possibles. Regardez bien les objets, les personnages représentés sur cette image. Les couleurs, les ombres, les lumières, les rapports des objets entre eux. La signification de ce qui est représenté (la paix, la joie, la colère, la sérénité).

Le lendemain, essayez de décrire cette image en retrouvant le plus de détails possibles.

Cette gymnastique est une source de jeunesse pour votre cerveau.

Conseils pour favoriser la mémorisation

La mémoire est un mécanisme : voilà pourquoi il est important de faire travailler son cerveau.

Voici quelques conseils pour favoriser la mémorisation :

– Développez vos perceptions, apprenez à regarder, à écouter en étant attentif aux choses et aux autres. Ainsi vous retiendrez naturellement mieux.

– Laissez place à l'imagination. L'imagination est en effet une alliée de votre mémoire.

Votre imagination a le pouvoir de vous aider à ressortir les informations et à transformer les choses les plus insignifiantes. Utilisez-la souvent !

– Donnez du sens à ce que vous voulez retenir.

On ne retient bien que ce que l'on comprend : la mémoire est intelligente !

– Travaillez votre mémoire par la répétition, afin que le processus devienne une mécanique bien huilée.

– Exercez-vous en apprenant au quotidien de petites quantités d'informations. N'essayez pas de retenir trop d'éléments à la fois, vous pourriez obtenir un résultat contraire à vos attentes...

– Utilisez le jeu des associations d'idées, d'images liées ou non à des mots-clés pour déclencher la mémorisation.

Proust illustre bien ce processus avec cette madeleine *a priori* insignifiante qui déclenche comme par association sensitive, un afflux de souvenirs.

... rejette les spéculations métaphysiques pour s'adonner à une quête spirituelle.

CHAPITRE 3

La confiance en soi

« Qui ne fait confiance à personne déclenche la méfiance et se trouve isolé, au contraire la confiance en soi éveille la confiance chez autrui, ne sais-tu pas toi-même quel bien te fait la confiance que les autres mettent en toi, il en est de même pour les autres. » (K.O. Schmidt.)

Avoir confiance en soi, c'est être en paix avec soi-même en assumant ses faiblesses, en profitant de ses points forts.

S'aimer, s'accepter

Avoir une mauvaise image de soi est un handicap qui nous crée des complexes entravant malgré nous nos relations sociales et nos démarches.

A contrario une image positive de soi facilite les rapports avec les autres et suscite des échanges constructifs, des opportunités nouvelles.

Plutôt que de vous dévaloriser, tâchez d'améliorer l'image que vous avez de vous-même sans vous laisser influencer par le jugement d'autrui. Vous êtes tout de même le mieux placé pour accomplir cette mission !

Le monde ne vous est pas hostile : combattez cette idée si jamais elle vous effleure. La peur est mauvaise conseillère.

La sollicitude et l'affection que les enfants reçoivent de leurs parents prédisposent à la confiance en soi. Si vous avez des enfants sachez les regarder et les encourager dans leur évolution, cette attitude les aidera à grandir.

Vaincre vos complexes

La perfection, personne ne l'atteint.

Alors pourquoi vouloir être parfait? Les objectifs trop hauts peuvent nuire à la confiance en soi. En effet, ne pas atteindre son objectif risque de devenir source de frustration.

– Le complexe d'infériorité se manifeste par l'autodévalorisation dans l'image de soi. Alors apprenez à reconnaître vos qualités, vos aptitudes et vos succès.

– Le complexe d'échec : vous projetez dans la vie des obstacles infranchissables. Au contraire, projetez-vous dans un avenir heureux, ayant accompli vos objectifs et vos souhaits. Libérez votre esprit des pensées qui déforment la réalité et entraînent des conduites d'échecs.

Il est possible d'apprendre de ses erreurs, celles-ci sont nécessaires pour évoluer.

– Le complexe d'exclusion : le sentiment que personne ne vous aime, le sentiment d'abandon permanent.

Commencez par vous aimer vous-même et vous constaterez alors que les autres viendront vers vous.

– Le complexe de culpabilité : le sentiment inhibiteur de la confiance en soi par impression constante d'être fautif et pas en règle. L'autocensure et l'autoreproche portent un coup à l'image de soi.

Autosuggestion, la pensée positive

Comme vous le savez, nos pensées sont créatrices.

Et, comme par hasard, si nous pensons positif, des événements positifs arrivent dans notre vie.

Au contraire, si dès le matin, nous pensons que la journée va mal se passer, que l'on ne va pas y arriver, il y a de fortes chances que la journée soit stressante.

Nos actions sont motivées par notre état intérieur. Il est donc important d'apprendre à contrôler notre mental et à interrompre le cycle des pensées négatives.

Ainsi, nous pouvons acquérir un certain pouvoir sur le déroulement de notre vie.

Nos pensées positives suscitent des événements qui seront favorables à notre accomplissement.

Vous êtes ce que vous pensez. Et lorsque des événements fâcheux surgissent dans votre vie, prenez le temps de prendre du recul, ne donnez pas prise au stress que cela peut provoquer en vous.

Si vous vous répétez toujours le même refrain négatif : dites stop à votre rap intérieur, rappelez-vous vos réussites.

Remplacez-le par un rap positif :

« J'ai vraiment de la chance ! », « Je suis fière de moi. », « J'ai les capacités pour y arriver. »

Il y a sûrement des croyances familiales qui ont bercé votre enfance : « Mon fils tu es nul, tu es un bon à rien, la vie est dangereuse, il faut faire attention à tout. »

La vie est dure
Je suis nulle
Je n'y arriverai jamais
Ce n'est pas ma faute
J'ai vraiment de la chance !
Je suis fière de moi
Je suis bien dans ma peau

Et votre capital confiance a eu du mal à grandir avec les années, à cause de ces déclarations dévalorisantes.
Mettez le passé douloureux de côté. Dorénavant, c'est vous qui décidez de votre chemin. Vous en avez les capacités.
Concentrez-vous sur les souvenirs heureux, qui vous renforceront et vous mèneront sur la voie du succès et du bonheur.

Des alliés pour la confiance en soi

• L'attention à vos émotions et à votre corps

Mieux vous traiterez votre corps, plus vous augmenterez votre estime de vous-même.

Si vous portez des chaussures qui vous font mal aux pieds, cela vous obsède et peut vous gâcher votre journée. Essayez de vous écouter et de vous faire encore plus confiance. Soyez votre propre ami.

• L'intuition

La relaxation est essentielle pour développer votre intuition. La méditation vous aidera à créer en vous un sentiment de paix intérieure, de calme et de sérénité.

Apprenez donc à faire des pauses détente et des pauses confiance.

• Le désir

Faites des choses qui vous plaisent, cela va contribuer à créer en vous une forme de paix et de satisfaction. Faites du sport, de la danse, du yoga, de la musique... En médecine chinoise, on dit qu'avoir un hobby procure de la joie et annule la tristesse.

• L'admiration

Soyez capable d'admirer et ne critiquez pas à tout bout de champ.

• L'optimisme

Entraînez-vous à prendre les événements du bon côté. En philosophie chinoise, chaque chose a deux faces : une face positive et une face négative. À vous de choisir !

• La répétition

Au Japon, la répétition de gestes s'appelle un « kata ». Par exemple, la cérémonie du thé est une série de « kata ». À force de répéter un geste, on finit par le maîtriser parfaitement et atteindre la « zénitude ».

Faites régulièrement des gestes ou des techniques et goûtez le plaisir de progresser.

La pause confiance en dix secondes

En prenant conscience de ses capacités, en croyant à sa bonne étoile, on colore sa vie en rose.

La confiance en soi est un mélange d'espoir et d'optimisme. Elle nous permet d'orienter la chance de notre côté.

La pratique

Assis sur une chaise, inspirez profondément en gonflant le ventre. Remplissez-vous de calme et de confiance en vous.

Posez les pieds bien à plat et mettez les mains sur les genoux.

Expirez lentement, en vidant l'air des poumons et en rejetant le stress, la fatigue, les doutes et le manque de confiance.

Étirez-vous les mains derrière la tête, bras croisés et tendez tout le corps pendant quelques secondes.

CHAPITRE 4 :

Développez votre imagination

Les bienfaits de la visualisation

La visualisation est la base de mon travail, elle permet de développer la richesse créatrice à travers des voyages intérieurs qui éveillent l'imagination.

La visualisation positive est une véritable diététique de l'esprit.

C'est une technique qui utilise l'évocation d'images agréables pour se régénérer.

Tout comme les rêves émergent de notre sommeil, des images internes émergent de l'état de détente. En état de détente, les facultés du cerveau sont optimisées. L'organisme se repose, il récupère et se régénère.

La visualisation nous donne l'opportunité d'imaginer, sans être entravé par la peur, le doute et les jugements, car en état de relaxation profonde nous sommes déconnectés des influences extérieures et reliés directement à notre inconscient. Nous pouvons donc imaginer sans limite, ouvrir des portes en nous-même, sur des pièces baignées de lumière, dont nous ne soupçonnions pas l'existence.

Créez votre havre de paix

La visualisation d'un paysage de bien-être va vous permettre de créer votre havre de paix. Cette photographie va vous aider à vous ressourcer, à redécouvrir vos perceptions et vos émotions, au travers des cinq sens.
Avec la pratique, vous apprendrez à vous abandonner et à lâcher prise, pour vous fondre dans la nature et dans l'univers. Vous rencontrerez votre sixième sens, votre intuition, qui deviendra votre alliée.
Cette visualisation est prodigieusement régénérante, en particulier pour les citadins qui vivent dans un cadre dénaturé, en béton armé.

> « Laissez venir à vous l'image d'un lieu très agréable, réel ou imaginaire, un endroit merveilleux qui deviendra désormais votre refuge, votre havre de paix. Développez vos cinq sens dans ce paysage :
> Vous êtes dans un paysage de nature très agréable.
> Ici tout est calme et sérénité.
> La température est idéale et le ciel lumineux.
> Votre respiration est lente et profonde.
> Touchez, caressez la terre ou le sable.
> Écoutez les petits bruits de la nature.
> Sentez les odeurs et les parfums.
> Regardez les couleurs de la nature.
> La température est idéale.

Imaginez que là où vous êtes, un rayon de soleil se pose sur vous et réchauffe tout votre corps.
Imaginez-vous en train de vous promener dans ce paysage en toute liberté.
Imprimez en vous ces sensations de bien-être en faisant une tension détente de tous vos muscles pour enregistrer le bien-être que vous procure l'image de ce paysage.
Gardez cette photographie mentale en vous. Il vous suffira de ressortir cette image mentale pour ressentir instantanément une grande sérénité. »

(Extrait de l'album Éveil, *de SONY MUSIC.)*

Programmez la réussite de vos projets

Cette visualisation créative vous permet d'envisager votre futur de manière positive.
Vos éventuelles peurs et appréhensions se transformeront en confiance et en enthousiasme.

Des sportifs de haut niveau, des hommes politiques et des artistes pratiquent cette visualisation active pour vaincre le trac, améliorer leurs performances et anticiper leur victoire.

En effet, en relaxation, la notion de temporalité n'existe pas. Le futur, le passé et le présent ne font qu'un.
Au cours de cette visualisation, vous pourrez anticiper l'accomplissement de vos projets.
Vous pourrez projeter vos désirs sur l'écran de votre vie.
Vous serez à la fois acteur, réalisateur et spectateur de votre rêve.
Tel un metteur en scène de cinéma, vous pourrez réaliser votre œuvre.
Et gardez bien à l'esprit que réaliser, c'est aussi se réaliser.
Cette visualisation active peut s'appliquer à tous les domaines de votre vie et devenir une attitude, comme une seconde nature, une manière d'être et une nouvelle manière de vivre.
Plus vous la pratiquerez et plus vous obtiendrez des résultats.

Dans la vie quotidienne, vous pourrez utiliser cette image pour retrouver les sensations d'enthousiasme et de passion que vous aurez éprouvées lors de cette visualisation.

La pratique

Pensez à un projet, un objectif que vous désirez atteindre.

Imaginez les personnes qui vont vous aider dans l'accomplissement de votre projet.

Projetez-vous le jour J de votre entretien, de votre examen, ou de votre compétition.

Imaginez votre examinateur, le lieu de votre examen, et sentez-vous à l'aise.

Imaginez-vous en train de passer votre épreuve facilement.

Ressentez en vous des sensations d'accomplissement et de réussite.

Visualisez enfin la réussite de votre épreuve. Bravo, vous y êtes arrivé !

Pour programmer en vous cette réussite à venir, pour l'imprimer, étirez les deux bras au-dessus de la tête et mettez doucement en tension tous les muscles du corps, tendez vos bras pendant trois secondes puis relâchez vos muscles et laissez retomber les deux bras.

Visualisation de la plage

La plage est synonyme de vacances et de bien-être. La visualisation de la plage vous aidera à lâcher prise et à vous régénérer.

Les yeux fermés, observez sur votre écran frontal, comme une espèce d'écran de cinéma noir, taché de petites lumières.
Sur cet écran, projetez un paysage de vacances reposant, une plage de sable fin balayée par le va-et-vient des vagues.
Vous êtes allongé sur cette plage. Et vous vous laissez envahir par la douce chaleur des rayons du soleil.
Votre corps est de plus en plus pesant, il forme une marque sur le sable.
Vos tensions, vos problèmes s'imprègnent à cet endroit. Puis, votre corps se soulève du sol afin de changer de place.
Vous êtes alors devenu léger, comme libéré d'un pesant fardeau.
Vos épaules sont détendues ainsi que vos pieds, vos mâchoires, votre front, vos paupières et vos yeux. Tout en vous est relaxé.
Étendez-vous et détendez-vous sur le sable chaud.
Vous êtes en harmonie avec les éléments de la nature qui vous entourent.
La mer vous berce de ses murmures océaniques.
Le vent effleure votre peau.
Le soleil vous éclaire d'un jour nouveau.
Sa chaleur vous apaise et vous calme.

C’est une source de lumière et de joie qui pénètre et régénère vos cellules.

Le lit de sable clair, les galets lunaires...

La température est idéale, votre respiration vous berce. Vous baignez dans une atmosphère apaisante et régénérante.

Respirez doucement.

Votre souffle se mêle au flux et au reflux des vagues, vous vous confondez avec le mouvement du ressac.

Lorsque vous inspirez avec le ressac, vous absorbez de l’énergie positive. Lorsque vous expirez, libérez-vous de vos tensions. Le sable les absorbe.

La source de lumière

• Laissez-vous baigner dans cette source de lumière qui vous régénère

Imaginez qu'au firmament de votre espace de paix apparaît une source d'eau, fraîche et cristalline.

Vous pouvez vous désaltérer à cette source.

Sentez l'eau pénétrer dans chaque cellule de votre corps au fur et à mesure que vous la buvez.

L'eau a des vertus magiques. Elle s'infiltre là où votre corps en a le plus besoin. Elle vous apaise et vous purifie.

Elle élimine vos toxines, irrigue votre corps, du haut de la tête jusqu'aux pieds. Elle vous débarrasse de tous les regrets, les erreurs et les doutes. Laissez cette source vous inonder de bonheur et sentez-la couler sur toutes les parties de votre corps comme une douche purificatrice.

Cette source est une source de vie.

Mais aussi une source d'inspiration qui vous rend plus créatif. Elle irrigue votre cerveau et rend vos pensées plus sereines.

Ressentez maintenant la lumière du soleil sur votre corps. C'est la lumière de la conscience pure, de la beauté. La lumière qui chasse toute négativité.

À présent, vous êtes un être neuf, épanoui et revivifié.

La montagne de couleurs

Nous allons apprendre à nous relaxer, en visualisant les couleurs de nos sept centres d'énergie dans le corps, que l'on nomme chakras.
Chaque chakra correspond à une couleur et à un organe.
Imaginez devant vous une montagne de couleur, en forme de pyramide, avec des marches taillées dans le roc.
Montez sur la première marche de couleur rouge, la couleur de votre enracinement dans la terre.
Posez cette couleur rouge sur vos pieds et vos jambes.
Votre circulation sanguine s'améliore.
Le rouge est la couleur de votre premier chakra, premier centre d'énergie de votre corps, situé sur vos organes génitaux.

Montez sur la deuxième marche de couleur orange, comme une orange.
Posez mentalement cette couleur orange sur votre ventre.
L'orange favorise le bien-être de votre système digestif.
C'est une couleur gaie et optimiste.

Continuez votre ascension et montez sur la troisième marche de couleur jaune, jaune citron ou jaune soleil.
Posez cette couleur jaune au creux de votre estomac, le centre de votre plexus solaire. C'est la zone de votre système nerveux.
Le jaune apaise et équilibre le système nerveux central.

C'est également le centre du sommeil, alors la nuit endormez-vous dans le jaune.
Visualisez une fleur de tournesol jaune posée sur votre estomac. À chaque respiration, sentez la fleur s'ouvrir et la couleur jaune se diffuser dans toutes les cellules de votre corps.

Vous êtes à présent sur la quatrième marche de couleur verte, le vert de la nature.
Le vert correspond au chakra des poumons et de la poitrine. Posez du vert sur vos poumons pour une bonne oxygénation de vos cellules.

Montez sur la cinquième marche de couleur bleue, le bleu relaxant du ciel et de la mer. Posez cette couleur sur votre gorge. Votre gorge se dénoue et se décrispe.

Montez sur la sixième marche de couleur violette, comme une violette.
Cette couleur correspond à la zone du front, votre troisième œil. Le violet calme vos pensées et développe votre intuition.

Vous arrivez enfin tout en haut de la montagne dans une belle couleur blanche, un blanc lumineux, qui correspond à votre septième chakra, situé au sommet de votre crâne. Le blanc vous ouvre sur le monde.
Tout en haut de la montagne, vous prenez du recul, de la distance et de la hauteur.

Cette visualisation est très régénérante, car elle recharge chaque chakra.

PARTIE 3

Zen au quotidien

Introduction

Nous avons tous besoin de pauses détente au quotidien, pour nous permettre de reprendre notre souffle au sens propre comme au sens figuré.

Pour être zen dans la vie de tous les jours, il ne suffit pas de faire une heure de yoga une fois par semaine, dans un « dojo », ou un centre de bien-être.

Une pratique quotidienne aussi restreinte soit-elle maintient une attention et un soin à vous-même plus régulier, plus constant. Après quelques semaines les gestes bien-être s'intégreront naturellement à votre rythme de vie.

C'est la raison pour laquelle j'ai mis au point des petites pauses antistress qui vous permettront aisément de vous ressourcer et de vous redynamiser, tout au long de la journée, et dans les différentes situations de votre vie quotidienne (le matin, au réveil, pendant les repas, dans les transports en commun, dans les embouteillages et au bureau).

Effectuez vos activités quotidiennes dans l'enthousiasme, vous les accomplirez avec facilité, sans effort et avec plaisir ! Lorsque nous faisons un travail dans la joie, le résultat est de meilleure qualité, de bonnes relations s'établissent avec nos collègues. C'est pourquoi, chacune de vos actions quotidiennes doit être pratiquée avec une intention de travail accompli.

« Réfléchissons à ce qui possède vraiment une valeur, à ce qui donne un sens à notre vie et ordonnons nos priorités en conséquence. » (Sa sainteté le Dalaï-Lama.)

CHAPITRE 1

Rester zen à toute heure du jour et en toutes circonstances

Se réveiller en douceur

Un bon réveil est déterminant pour le reste de la journée.
Se réveiller en douceur est le meilleur moyen de commencer la journée. Plutôt que de vous lever brusquement, prenez le temps d'étirer votre corps, de réveiller l'ensemble de vos muscles qui étaient au repos depuis plusieurs heures. Et ne vous laissez pas envahir dès le matin par des pensées désagréables.

La pratique

Restez couché sur le dos.
Reprenez le contact avec votre corps qui se réveille, en sentant sa chaleur sur vos draps.
Ouvrez les yeux doucement, en savourant cet état de conscience très agréable entre veille et sommeil.
Ramenez vos genoux pliés vers la poitrine et laissez-les tomber du côté gauche, pendant que vous étirez le bras droit.
Puis, prenez une respiration profonde. Ramenez vos genoux vers la poitrine, et tout en expirant, laissez-les tomber du côté droit.
Étirez vos bras, vos jambes et votre colonne vertébrale.
Ouvrez la bouche, bâillez en poussant des « ah ! » de bien-être.

Exercices du matin pour se dynamiser

Pour avoir la pêche toute la matinée, pratiquez un exercice d'étirement complété par un automassage sous votre douche !

La pratique

Exercice d'étirement

Debout, inspirez et levez les bras en l'air.

Les deux mains se rejoignent.

Poussez le plafond avec vos mains, grandissez-vous, puis relâchez.

À nouveau, inspirez, levez les bras puis expirez en vous penchant sur la gauche.

Revenez au centre.

Inspirez, tendez les bras puis expirez en vous penchant sur la droite.

Automassage sous la douche

Ce massage sous votre douche vous dynamisera dès le matin.

Vous pouvez commencer par une friction stimulante en vous massant la voûte plantaire avec le poing fermé et en tapotant vos jambes avec ce même poing fermé, de bas en haut.

Frictionnez-vous alors le thorax avec vos deux mains à plat ainsi que le sacrum. Vous sentirez aussitôt une vague de chaleur monter dans votre dos.

Déstresser dans les transports

Déstresser en voiture

Le stress monte vite lorsque l'on est en voiture.

Les embouteillages, la peur d'être en retard, la mauvaise conduite de certains automobilistes, il n'en faut pas plus pour que notre système nerveux s'emballe ! Le cœur s'accélère, les mains deviennent moites et l'estomac se noue. Alors dites stop à cette mécanique infernale du stress.

Si vous avez de longs trajets à effectuer, faites une pause toutes les deux heures, marchez, étirez-vous.

La nuque est mise à l'épreuve en voiture alors pensez au cours de ces pauses à effectuer des rotations du cou, de la droite vers la gauche, puis inversement.

Attention à ne pas vous tordre le cou, pour regarder en arrière, en faisant vos exercices.

La pratique

Haussez les épaules en voiture, pour vous relaxer dans les embouteillages

Lorsque vous êtes à l'arrêt, placez vos mains à 9 h 15 sur le volant. Calez-vous bien au fond de votre siège.

Haussez les épaules !

Ne portez pas le stress du monde sur vos épaules !

Hausser les épaules est un étirement simple qui vous détendra efficacement pendant les embouteillages. Inspirez puis expirez, en vidant totalement l'air de vos poumons, en contractant les épaules et en serrant votre volant.

Expirez et relâchez.

Répétez plusieurs fois cet exercice.

Déstresser dans les transports en commun

J'ai récemment aidé une personne qui avait peur de prendre le métro.

Elle s'y sentait mal, angoissée. Elle éprouvait des sensations d'étouffement et d'insécurité.

Aussi avait-elle décidé d'éluder ce moyen de transport et d'effectuer la plupart de ses trajets à pied ou en taxi.

Nous avons fait une séance de relaxation profonde, puis une séance de visualisation, au cours de laquelle elle s'est imaginée dans une rame de métro, calme, rassurée.

Après quoi, je lui ai suggéré de faire les deux exercices suivants qui lui ont permis de se familiariser à nouveau avec ce moyen de transport. Après quelque temps de pratique, elle a pu à nouveau reprendre le métro avec beaucoup moins d'appréhension.

La pratique

Visualisez un cocon protecteur

Vous vous trouvez dans une rame de métro, dans un univers urbain bruyant et parfois surpeuplé, raison de plus pour créer votre bulle zen.

Commencez par respirer calmement par le ventre, en insistant sur l'expiration pour chasser votre stress.

Pour vous déconnecter du monde extérieur, imaginez-vous dans un cocon protecteur, dans lequel vous ressentez de la chaleur et du bien-être.

Respirez. Visualisez cette bulle protectrice qui vous entoure.

Ce cocon est votre refuge, vous y êtes en parfaite sécurité.

Dans cet espace rassurant sécurisant, visualisez une lumière jaune qui vient se poser au niveau de votre plexus solaire, au creux de l'estomac.

Vous vous sentez apaisé, protégé, pour toute la durée de votre trajet.

Ouverture de la paume

Massez, puis pressez avec votre pouce, à l'intérieur de la main, le point central, que l'on surnomme le « palais du travail ». Exercez la pression dans un sens, puis dans l'autre.

Dans les transports en commun, répétez plusieurs fois le massage et la pression.

Cette manœuvre diminuera vos crispations musculaires et détendra l'ensemble de votre corps.

Se relaxer dans l'avion

Si vous prenez l'avion pour partir en vacances ou pour un motif professionnel, vous pouvez faire de ce voyage un moment agréable qui vous permettra d'arriver en pleine forme à votre destination. Attachez votre ceinture et laissez-vous décoller en douceur. Petit à petit, vous prenez de la distance, de la hauteur.
Laissez-vous aller dans la détente.

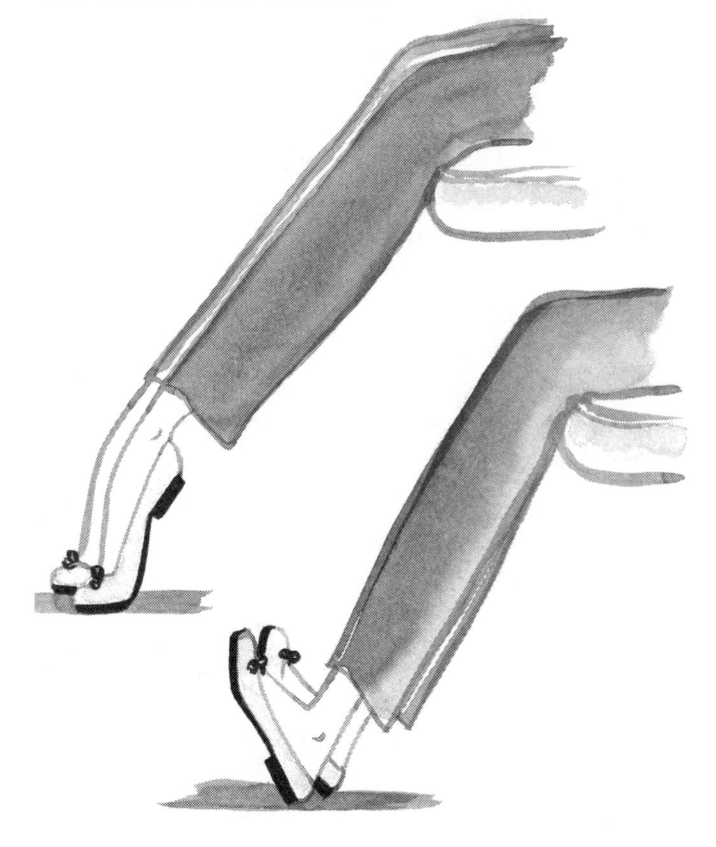

La pratique

Exercice des épaules

À tout moment pendant le vol, expirez.

Un soupir profond permet de se relâcher réellement et instantanément.

Expirez en laissant tomber vos épaules.

Répétez cet exercice trois fois.

Inspirez, montez les épaules.

Expirez en abaissant les épaules.

Circulation des jambes

Voici un petit exercice qui stimulera votre circulation. Il atténuera la fatigue et la lourdeur des jambes.

Calez-vous bien au fond de votre siège.

Levez la pointe des pieds, en gardant les talons au sol pendant dix secondes.

Levez les talons, en gardant la pointe des pieds au sol pendant dix secondes.

Répétez cet exercice trois fois.

Ensuite, attrapez votre genou droit et tournez lentement la cheville droite, rotation dans un sens, puis dans l'autre.

Puis, répétez la même opération avec le genou gauche.

Faites de douces rotations des chevilles.

Pour finir, faites des mouvements de flexion et d'extension de vos orteils dans vos chaussures.

Si vous le pouvez, levez-vous et faites quelques pas dans l'avion, pour améliorer votre circulation sanguine.

Se relaxer dans une file d'attente

Il est important d'apprendre à se relaxer en toutes circonstances. Par exemple lorsque vous vous impatientez devant la caisse de votre supermarché, à un guichet, dans une file d'attente interminable de cinéma, apprenez à vous relaxer debout.

La pratique

Appuyez successivement sur la pulpe de tous les doigts avec le pouce et recommencez jusqu'à sentir le calme revenir en vous.

Les bras tendus le long du corps, relâchez vos épaules et laissez retomber légèrement votre tête.

Dans cette position, relâchez tous les muscles de votre corps du haut du crâne jusqu'au bout des pieds.

Détendez votre visage, relâchez les mâchoires, les épaules, les bras. Desserrez les muscles des fessiers, des cuisses, des genoux, des mollets tout en maintenant suffisamment les muscles pour rester debout.

Puis, serrez les poings en étirant tous les muscles du bras. Retenez votre souffle quelques secondes puis expirez en ouvrant les mains.

À faire trois fois de suite.

Cette pratique décontracte les muscles et élimine les tensions nerveuses.

CHAPITRE 2

Zen au bureau

Demain matin lorsque vous arriverez au bureau, changement d'attitude ! Cultivez l'optimisme et l'enthousiasme.

Nous avons tous la capacité d'imaginer le pire et de voir la vie en noir et blanc, comme si nous portions des lunettes occultant les couleurs. Changez d'optique afin de voir la vie en rose !

La première action à accomplir lorsque vous arrivez, sur votre lieu de travail, c'est de mettre de l'ordre dans vos affaires, car, s'il y a du désordre sur votre bureau, c'est qu'il y en a probablement dans votre tête.

En mettant de l'ordre dans vos dossiers, vous mettrez de l'ordre dans vos idées. Traitez et jetez les papiers inutiles.

Classez vos documents de travail.

Archivez les documents anciens dont vous aurez à vous resservir par la suite.

Rappelez-vous que ranger ne veut pas dire déplacer.

Une fois l'horizon éclairci, prenez quelques minutes pour planifier votre journée, pour organiser votre temps.

Demandez-vous à quel moment vous êtes le plus efficace. Si c'est le matin par exemple, vous devez programmer vos activités les plus importantes dans cette partie de la journée.

Quoi qu'il arrive, prenez des instants pour vous. Faites des pauses détente de quelques minutes.

Montrez-vous agréable avec vos collègues, évitez les plaintes récurrentes qui pompent votre énergie et celles des autres. Dans une conversation essayez d'utiliser des termes positifs. Pour programmer vos entretiens, vos réunions importantes, initiez-vous à la visualisation (*voir* p. 117).

Le matin : les pauses détente au bureau

Pauses détente du matin

• Buvez de l'eau

Une des causes les plus fréquentes de la fatigue est le manque d'hydratation. Alors gardez toujours près de vous une petite bouteille d'eau.

• Vérifiez votre posture

Êtes-vous assis bien droit ? Les épaules décontractées, tombant naturellement en arrière ?

Si vos épaules sont rentrées ou bien penchées en avant, réajustez votre position, afin de ne pas ressentir de fatigue, ni de tensions dans la nuque.

• Respirez par les épaules

Cet exercice de sophrologie dynamique vous aidera à déverrouiller vos épaules.

Inspirez par le nez, retenez l'air dans votre poitrine et faites quatre petits cercles en avant avec vos épaules, puis soufflez profondément.

Expirez, retenez l'air, puis faites quatre cercles en arrière, tout en ouvrant bien la cage thoracique. Soufflez.

• Étirez-vous

Inspirez, tendez les deux bras au-dessus de la tête, vos deux mains se rapprochent. Étirez-vous, grandissez-vous comme si vous souhaitiez toucher le plafond. Puis relâchez vos bras.

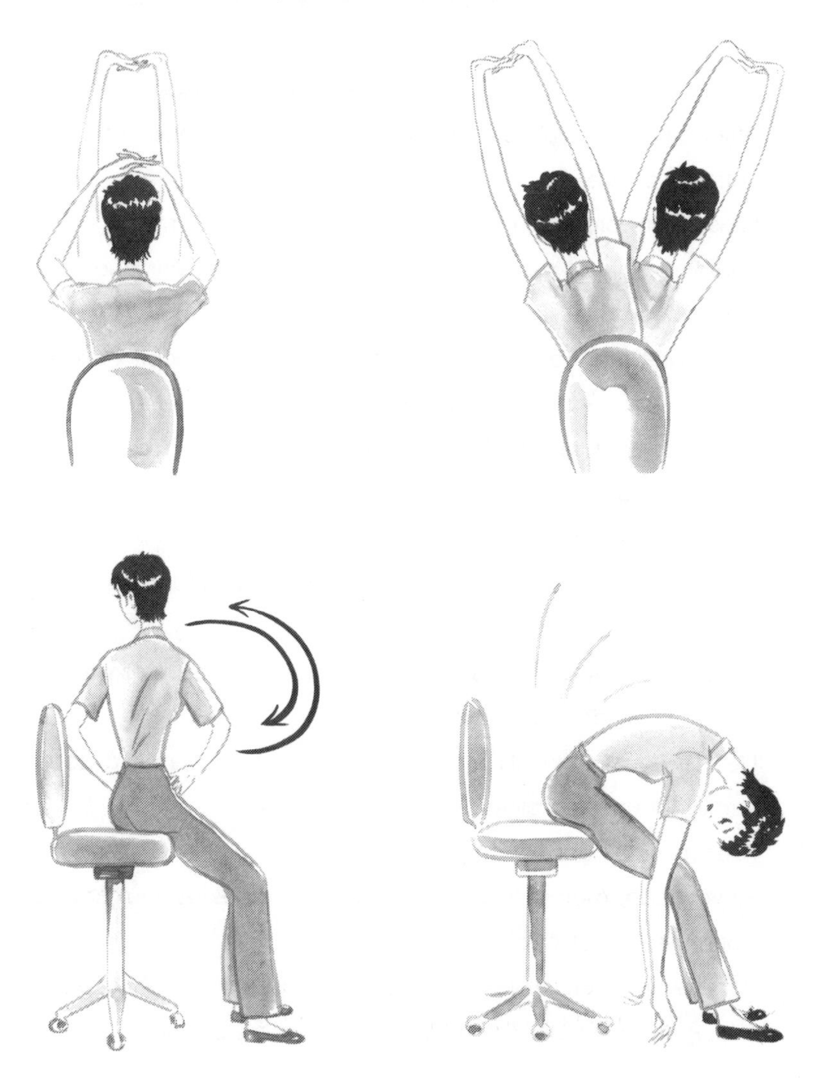

Déterminez vos priorités

Ne remettez pas au lendemain ce que vous pouvez faire le jour même.

Le temps est un bien très précieux. Apprenez à l'exploiter le plus efficacement possible dans votre vie professionnelle et dans votre vie privée.

Classez par ordre d'importance les tâches à accomplir.

Faites une liste et barrez au fur et à mesure les actions que vous avez accomplies.

Pour faire du temps votre allié, donnez la priorité aux priorités, en vous posant les bonnes questions :

- Quelles sont les activités les plus importantes à accomplir aujourd'hui ?
- Que puis-je améliorer ?
- Que puis-je faire que les autres ne peuvent pas faire ? Quelles tâches puis-je déléguer ?

Au sein des équipes essayez de distinguer et de valoriser les côtés positifs de vos collaborateurs.

Définissez vos objectifs à long terme, sur un mois, puis à court terme, sur une semaine, enfin sur la journée.

Fixez-vous des échéances réalistes.

Prévoyez des moments de pause au moins toutes les deux heures pour être plus efficace.

Par exemple, fermez les yeux quelques instants et baissez votre tête. Posez les mains sur les genoux et respirez à fond.

Se préparer à une réunion

La prise de parole en public est sans aucun doute un excellent moyen de cultiver la confiance en soi.

Si vous avez une réunion importante, vous pouvez vous y préparer grâce à la visualisation, en imaginant à l'avance la scène de votre réunion.

Je vous conseille de faire cette pratique la veille de la réunion pour ancrer une attitude positive dans votre esprit.

La pratique

Imaginez à l'avance votre réunion.

Respirez à fond avant de commencer à parler.

Vous êtes à l'aise et calme. Vous parlez d'une voix assurée et tranquille.

Votre ton est confiant. Vous êtes convaincu par ce que vous dites.

Tenez-vous bien droit et regardez vos auditeurs.

Soyez vous-même. Mettez de l'humanité dans votre discours.

Imaginez vos interlocuteurs, ils vous écoutent attentivement. Ils sont vos alliés.

Témoignage

Un jour, une amie m'appela en me demandant conseil. Elle avait une réunion déterminante avec sa direction et elle avait peur de ne pas réussir cette épreuve.

Je lui demandais de me décrire un lieu dans lequel elle se sentait bien, en sécurité.

Elle me répondit qu'elle se sentait bien dans son jardin, près des arbres et des plantes.

Alors, je lui ai suggéré le jour de sa réunion de s'imaginer être dans son jardin, en train d'arroser ses plantes.

Puis je lui ai demandé d'imaginer que les membres de sa direction étaient des arbres, que la salle de réunion exhalait les parfums de son jardin. Bref, de se transposer le jour J dans son havre de paix, apaisant et sécurisant. En s'imaginant être dans son jardin, elle se sentit confiante, détendue, à l'aise durant toute la réunion. Toutes ses peurs s'évacuèrent progressivement.

Grâce à cette préparation, elle réussit son challenge.

Zen devant l'ordinateur

La bonne posture devant son ordinateur

L'ordinateur fait désormais partie de notre vie quotidienne, mais son utilisation prolongée peut perturber notre organisme : la position assise face à l'écran finit par tasser les lombaires et provoquer des tensions, voire des douleurs et l'attention fixe sur l'écran fatigue la zone oculaire. Je vous propose des pratiques qui vous permettront de travailler confortablement devant votre ordinateur.

Pour ceux qui ont mal au bas du dos, voici une pratique qui vous aidera à détasser vos lombaires.

Asseyez-vous au bord de votre siège.
Les mains posées de part et d'autre de vos cuisses, décollez votre bassin du siège, en gardant la tête droite et les épaules détendues. Restez environ dix secondes en suspension, sans tension, puis asseyez-vous à nouveau.
Recommencez cette opération plusieurs fois.

La pratique

Asseyez-vous face à votre ordinateur, le dos droit, le bas du dos calé contre le dossier.
Vos pieds reposent à plat sur le sol, la tête dans l'alignement du tronc, vos yeux sont légèrement au-dessus de la partie supérieure de votre écran.
Lorsque vous travaillez sur ordinateur, réglez votre siège afin que l'écran se trouve à la hauteur de vos yeux et placez l'écran face à vous, car tourner la tête est source de tensions.
Optez pour un siège avec des accoudoirs. En effet poser les bras réduit la fatigue au niveau des cervicales et des épaules.
Lorsque vous utilisez votre clavier, mettez les deux avant-bras bien à plat, et gardez les deux pieds bien appuyés au sol.
Attention aux torsions trop brusques de la tête.
Lorsque vous tournez la tête pour téléphoner ou pour chercher un dossier, pensez également à mobiliser votre tronc.

Reposer les yeux

Vos yeux se fatiguent à force de rester fixés sur l'écran, à distance constante.

Voici quelques pratiques pour défatiguer vos yeux.

Lorsque vous travaillez devant votre ordinateur, ne travaillez pas trop près de l'écran. La distance idéale est la longueur d'un bras.

Le « palming »

Vous pouvez également essayer la pratique simple et efficace que l'on appelle le « palming ». Elle vous aidera à relaxer la zone oculaire.

Fermez un instant les yeux et posez vos paumes de main sur les paupières afin de créer le calme en vous. Appuyez vos coudes sur une table, en position assise. Le must : imaginez-vous en train de dormir sur une plage de sable chaud et savourez la détente de tout votre corps.

La pratique

Pensez, de temps en temps, à lever la tête pour regarder un point au loin, puis revenez à un objet qui se trouve très près de vous, un livre, une fleur. Faites plusieurs fois l'aller-retour.

Regardez le plus à droite, puis le plus à gauche possible.

Faites ce va-et-vient plusieurs fois, la tête et le corps restent immobiles. Seuls les globes oculaires bougent. Une fois ce mouvement effectué, détendez-vous pendant quelques secondes.

Puis, tournez les yeux dans le sens des aiguilles d'une montre et marquez un temps d'arrêt à 12, 15, 18 et 21 heures. Faites quelques tours complets, puis changez de direction. Réalisez la même opération les yeux fermés.

Ensuite, ouvrez les yeux progressivement et éloignez lentement les paumes de main.

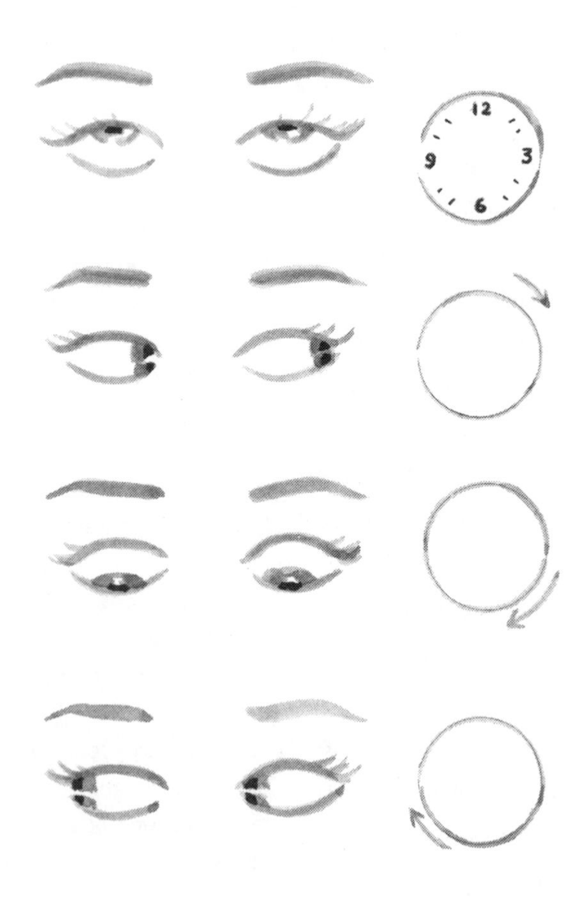

Étirement pour la nuque et les cervicales

La tête, la nuque et les cervicales sont des zones de tension prédominantes. Il est bon d'effectuer des étirements plusieurs fois par jour afin d'évacuer le stress qui s'accumule dans cette région.

La pratique

Pour détendre la nuque et les cervicales

Asseyez-vous sur une chaise, confortable de préférence, les pieds bien à plat. Posez vos mains sur les genoux.

Laissez retomber votre tête et votre poitrine en avant.

Inspirez et tournez doucement la tête à droite, comme pour dire oui.

Oui à votre bien-être et à votre détente.

Soufflez.

Inspirez et tournez la tête à gauche, comme pour dire non.

Non au stress, à la fatigue et aux tensions du cou et de la tête.

Effectuez ce mouvement avec précaution.

L'après-midi : déstresser au bureau

Se remplir d'énergie

Prenez le temps de faire dans l'après-midi une pause détente, comme on fait une pause café, en vous posant les questions suivantes : « Avez-vous des tensions, des contractions, dans quelle zone corporelle se situent-elles ? » Choisissez vos exercices en fonction de vos zones de tension. Au cours de la journée restez attentif aux réactions de votre corps.

Petit à petit, vous prendrez plaisir à faire ces petits gestes qui agrémenteront votre quotidien.

La pratique

La respiration rythmée

Inspirez sur quatre temps (quatre secondes) puis bloquez l'air sur deux temps (deux secondes). Expirez sur six temps (six secondes) et faites une pause sur deux temps (poumons vides).

Captez l'énergie

Debout, les deux bras tendus, paumes ouvertes vers le ciel, captez l'énergie du ciel.

Vos deux bras sont en forme de chandelier, prêts à accueillir le bien-être. Sentez une énergie de chaleur se diffuser petit à petit le long de vos deux bras.

Pour imprimer en vous cette énergie, inspirez en retenant l'air dans vos poumons et en serrant les deux poings. Puis expirez.

Exercice de la tortue pour dissoudre les tensions

Lorsque l'on est anxieux, la production de cortisol et d'adrénaline (les hormones du stress) augmente ; ce phénomène entraîne une grande consommation de sucre dans l'organisme.
Vous pourrez pratiquer cette technique de tension détente pour relâcher facilement vos tensions. En contractant et décontractant vos muscles, vous aurez une meilleure perception de tout votre corps.

La pratique

Le principe est très simple, puisqu'il suffit de contracter vos muscles et de les relâcher.
Commencez avec la partie supérieure du corps.
Inspirez profondément, en contractant tous les muscles de votre tête et de votre visage, pendant cinq secondes.
Contractez tout le visage, serrez les mâchoires et les dents. Comptez jusqu'à cinq.
Puis expirez, en relâchant le plus possible les muscles de votre visage.
Maintenant, inspirez et tendez les muscles du cou et des épaules, serrez les poings et les bras, puis expirez et relâchez.
Levez les épaules, la tête rentrée comme une tortue, puis relâchez-les d'un seul coup.
À chaque fois que vous expirez, vous pouvez pousser un grand « ouf ! » de soulagement.
Pour terminer, tendez tout le corps. Contractez le visage, les épaules, les poings, les bras, les jambes, les cuisses, les pieds et les orteils.
Expirez, puis relâchez.

CHAPITRE 3

LE SOMMEIL

Le sommeil joue un rôle prépondérant dans notre vie. Il occupe en effet le tiers de notre existence, Nous dormons vingt-quatre ans en moyenne. Vingt-quatre ans au cours desquels notre organisme se reconstitue et se régénère.

Une partie importante de la population souffre d'insomnie, ce qui n'est pas sans conséquence sur notre santé, car c'est au cours de notre sommeil que l'organisme retrouve son équilibre. La mélatonine appelée également l'hormone du sommeil stimule nos défenses immunitaires et lutte contre les radicaux libres.

La vie et la santé sont indissociables de la nature et de ses rythmes. Le respect de l'alternance veille-sommeil coïncidant avec celle du jour et de la nuit s'avère indispensable à l'équilibre corporel et mental.

Le sommeil se déroule en une succession de cycles. Toutes les deux heures, nous plongeons dans un sommeil d'abord léger, puis plus profond suivi d'une phase de sommeil avec rêves.

Le sommeil profond est plus reposant que le sommeil léger mais la phase de sommeil avec rêves réorganise le mental, repose le psychisme.

Il faut apprendre à respecter ses cycles du sommeil.

Le sommeil doit être suffisant, tant en quantité qu'en qualité.

Rythme du corps, repos, sommeil, vacances, loisirs et promenades sont essentiels pour une bonne hygiène de vie.
Il suffit souvent d'un petit rien pour retrouver un sommeil régulier, réparateur, régénérateur gage d'une journée pleinement vécue dans la bonne humeur et la réussite.
Les fiches suivantes vont vous y aider.

Conseils d'hygiène de vie pour bien dormir

Pour bien dormir, il est nécessaire d'observer deux règles essentielles :

Garder des heures régulières de lever et de coucher afin de permettre à votre horloge biologique de se synchroniser.

Réduire la consommation de stimulants : café, thé, tabac et alcool.

• L'heure du bain

Avant d'aller dîner, prenez un bon bain relaxant aux huiles essentielles (lavande, verveine, tilleul et marjolaine) ou aux algues marines qui contiennent tous les principes actifs de la mer (vitamines, iode, fer, cuivre...).

• Le repas du soir

Le soir, mangez légèrement et sereinement : des crudités, des légumes, du poisson sans sauce, prenez le temps de bien mastiquer.

Évitez les matières grasses. Un repas trop lourd et trop arrosé entraîne une mauvaise digestion et des ballonnements.

Optez pour les féculents (pâtes, riz, lentilles, quinoa) : ils ouvrent la porte du sommeil, favorisant la sécrétion de sérotonine, un acide aminé qui aide à combattre l'anxiété.

Évitez les viandes rouges, choisissez plutôt des protéines maigres : viandes et poissons grillés ou vapeur, œufs durs.

Le repas idéal : un potage de légumes, une viande ou un poisson grillé, accompagné de féculents, un yaourt et une tisane.

À la place du café et de l'alcool, préparez-vous plutôt une tisane (aubépine, tilleul, menthe, verveine, camomille, valériane et passiflore), ou buvez un verre de lait chaud.

• Votre chambre (*voir* la fiche 81 sur le feng shui)

Faites de votre chambre un lieu paisible, ni trop chauffé, ni trop éclairé. Entourez-vous d'objets que vous aimez, choisissez un bon matelas.

Dormez la tête au nord.

Écoutez de la musique douce qui vous aidera à dissoudre vos pensées négatives.

Afin de ne pas rater le premier train du sommeil, couchez-vous dès que vous commencez à bâiller ou que vous sentez vos paupières devenir lourdes.

Si vous êtes inquiet, inscrivez vos préoccupations dans un carnet, placé près de votre lit, cela vous permettra de les sortir de votre esprit.

Gestes du soir pour bien dormir

Le soir, lorsque vous rentrez chez vous, ne laissez pas entrer vos soucis et votre stress dans la maison.
Prenez un moment pour vous faire un automassage de quelques minutes qui vous permettra de décompresser.

• Les tempes

Effectuez des petits mouvements circulaires sur les tempes à la racine des cheveux. Votre cerveau va se déconnecter du monde extérieur et vous allez ressentir un état de calme, propice au sommeil.

• Automassage du plexus solaire

Posez vos deux mains sur votre plexus solaire, situé au creux de l'estomac.
Le plexus solaire est le centre de notre système nerveux neurovégétatif. Effectuez un massage circulaire dans le sens des aiguilles d'une montre, puis dans le sens inverse, en partant du plexus solaire et en irradiant toute la structure abdominale.
Cet exercice va vous aider à relâcher toutes les tensions et la fatigue de la journée.

• Les astuces rituelles du soir sont très importantes car elles conditionnent notre sommeil.

On sait très bien qu'un petit enfant trouve le réconfort préliminaire au sommeil avec un doudou ou une boîte à musique.

Je ne vais pas vous demander de récupérer un bout de chiffon ou un nounours, mais je vous conseille d'élaborer des rituels du soir qui vous permettront de trouver l'apaisement nécessaire préambule au sommeil. Exemples de rituels : prendre un bain de préférence avant d'aller dîner, lire, pratiquer un automassage, boire une tisane sédative, écrire son journal intime.

L'heure du bain

Le bain est le meilleur moyen pour se détendre après une journée fatigante.

Le soir avant d'aller dîner, plongez-vous dans un bain aux huiles essentielles de romarin pour oublier vos soucis, de lavande aux effets apaisants, de camomille pour vous détendre...

Faites d'abord couler de l'eau très chaude, mettez ensuite quelques gouttes d'huile essentielle, puis ajoutez de l'eau froide.
C'est à 38 °C que la chaleur stimule la microcirculation. Cet afflux sanguin apaise les nerfs et soulage les muscles. Ne prolongez pas le bain au-delà de dix minutes pour éviter que vos jambes gonflent et que votre peau se dessèche.

Ne prenez pas un bain trop chaud qui risquerait d'exciter votre système nerveux.
Mettez un petit coussin sous votre tête et laissez-vous aller.
Relâchez tous les muscles du corps, du haut du crâne jusqu'au bout des pieds.
Quelques gouttes d'huiles essentielles d'orange vous aideront à vous relaxer.
Profitez-en pour vous faire un gommage des jambes pour éliminer les cellules mortes.

Après le bain, appliquez un produit hydratant en massant doucement vos jambes.
La vapeur du bain aidera à faire pénétrer le produit.

Voici une recette naturelle pour les jambes sèches :
Écrasez un avocat et une banane et mélangez avec une cuillère à soupe de crème épaisse. Étalez sur vos jambes. Laissez reposer quelques minutes.
Vos jambes seront bien douces !

Soyez zen dans votre bain, en oubliant les soucis de la journée et en programmant positivement la journée du lendemain !

La bonne position pour dormir

Le secret du sommeil réside dans la détente, il est donc primordial d'adopter une bonne position pour bien dormir.
Évitez de dormir allongé sur le ventre. Privilégiez la position couchée sur le côté, en fœtus, ou sur le dos, alternez les positions qui vous conviennent. C'est un bon moyen d'éviter les douleurs dorsales.

Tout d'abord, choisissez un oreiller confortable qui épouse la forme de votre tête. Votre oreiller doit maintenir votre cou dans l'alignement de votre colonne vertébrale.
Puis allongez-vous sur le dos, la colonne vertébrale bien droite.
Posez vos mains à plat sur l'abdomen : ce geste produit un effet relaxant.
Si vous avez besoin de vous lever, tournez-vous sur le côté, glissez les jambes hors du lit et poussez sur les bras pour redresser le tronc en position assise. Sans mouvement brusque.
Pour un meilleur confort, vous pouvez aussi surélever vos pieds en installant des cales sous le lit ou des coussins sous les genoux. C'est excellent pour la circulation sanguine.

Un conseil

Procurez-vous un coussinet aromatique que vous glisserez sous votre oreiller. Essayez un mélange de lavande, de camomille et de pétales de roses. Leurs essences contribueront à vous apaiser toute la nuit.

Relaxation pour trouver le sommeil

Au cours de notre sommeil, notre activité mentale perdure.
L'état d'esprit dans lequel nous nous trouvons avant de nous endormir influe sur la qualité de notre sommeil.
Si nous nous endormons l'esprit tourmenté par des pensées parasites, notre sommeil risque d'être agité.
Alors avant de vous endormir, installez-vous dans un état d'esprit de bonté, de calme, de sérénité, de sagesse.
Chaque soir, listez les évènements positifs qui vous sont arrivés dans la journée et appréciez-les à nouveau.
Voici un moyen rapide pour trouver le sommeil.

La pratique

Allongez-vous sur votre lit dans la position qui vous semble la plus confortable, et détendez tout votre corps, de la tête aux pieds.
Sentez la chaleur envahir vos membres.
Sentez-les devenir de plus en plus lourds.
Prenez conscience des points d'appuis de votre corps au contact avec les draps.
À présent, remémorez-vous une circonstance heureuse de votre vie.
Remplissez-vous de cet événement qui vous a rendu si bien.
Revivez-le comme s'il se déroulait ici et maintenant.
Laissez-vous porter par ces sensations agréables.
Elles vous conduiront en douceur au pays des rêves. De vos rêves.

Ah Ah Ah Ah

PARTIE 4

Art de vivre

CHAPITRE 1

Zen avec les autres

« Tu peux te faire plus d'amis en deux mois si tu t'intéresses aux autres qu'en deux ans si tu attends que les autres s'intéressent à toi. »
Dale Carnegie

Entretenir de bonnes relations

Les relations sont comme les plantes : elles se cultivent et s'entretiennent.
Nous devons prendre soin de nos relations afin qu'elles se développent harmonieusement.
Avant tout il est important de travailler notre bien-être intérieur.
Si vous voulez que les autres vous respectent, commencez par vous respecter vous-même.
Lorsque l'on se sent bien, on est plus disponible, plus enclin à dialoguer et à partager nos émotions, nos désirs. Être en accord avec soi-même favorise réellement la communication.

Communiquer c'est savoir exprimer ses désirs, ses besoins mais c'est aussi savoir écouter, c'est ce que nous allons voir dans les pages qui suivent.

Plus on a de l'estime et de la bienveillance pour soi-même, plus on est capable d'en accorder aux autres.

Exprimez votre affection à votre entourage.

Vous aimez vos parents ?, votre conjoint ?, vos enfants ?, vos amis ?, alors dites-le-leur. On oublie parfois d'exprimer nos sentiments à ceux que l'on aime. Ce sont pourtant des aveux qui mettent du baume au cœur.

Reconnaître les qualités d'une personne, c'est reconnaître son existence même.

La gentillesse, la douceur, la façon de regarder et de sourire peuvent apporter beaucoup de bienfaits dans vos relations.

Cela paraît évident, mais bien trop souvent on se laisse emporter par ses propres désirs ou ses propres inquiétudes au détriment des autres.

Le soir, allez embrasser vos enfants dans leur chambre et félicitez-les pour toutes les actions positives qu'ils ont accomplies dans la journée.

Cultivez la compassion.

Accueillez avec bienveillance les problèmes que vos proches vous confient.

Soyez présent à l'autre en lui accordant le temps et l'espace dont il a besoin pour se sentir compris.

Dans ce chapitre, je vais vous proposer quelques conseils de communication que vous pourrez mettre à profit tant dans votre environnement professionnel, que personnel. Je vous proposerai également quelques pratiques pour mieux communiquer avec vos enfants, vos amis, vos collègues.

Nous finirons ce chapitre en apprenant à rire avec les autres pour mieux communiquer et libérer nos endorphines, les hormones du plaisir !

Je vous laisse méditer sur ces quelques lignes du Dalaï-Lama.
« L'échange entre soi et autrui :
Que les gens soient beaux ou quelconques, sympathiques ou cruels ils sont tous des êtres humains comme nous.
Comme nous, ils veulent être heureux et ne désirent pas souffrir. »

Savoir écouter l'autre

• Qu'est-ce qu'une bonne communication entre deux personnes ?

Une bonne communication est celle qui va à l'essentiel.
Communiquez efficacement et vous gagnerez beaucoup de temps.
Ne noyez pas l'autre avec trop de détails, cernez clairement votre objectif.

Les clefs d'une bonne communication sont le calme, la détente, la convivialité et la franchise.
Pour atteindre ce but il faut être prêt à donner votre point de vue et à recevoir le *feedback* de son interlocuteur dans le respect mutuel.
Si vous voulez être compris, mettez-vous dans le cadre de référence de la personne qui vous écoute.
Proverbe slave : « Si vous entrez dans un groupe de corneilles, croassez comme les corneilles ».

• Pourquoi n'écoute-t-on pas bien ?

Bien souvent on est absorbé par nos propres pensées et figé sur nos positions et l'on n'accorde pas à l'autre une attention suffisante.
De ce fait on passe souvent à côté de l'essentiel du message que l'autre a voulu nous faire passer.

Écouter c'est bien plus qu'entendre. Écouter c'est faire preuve d'attention, c'est aider, encourager l'autre à parler. Écouter c'est accueillir sereinement les propos de votre interlocuteur et lui laisser le temps de s'exprimer.

Et bien entendu comme dans tout dialogue, restez en contact avec votre interlocuteur par le regard.
Montrez-lui que vous êtes présent à lui.
Manifestez-lui votre intérêt. En pratiquant une écoute active, vous faites preuve d'empathie.

Vous pouvez également reformuler ce que votre interlocuteur a dit, si vous êtes juste ce dernier se sentira écouté et compris et vous en saura gré.

FICHE 68

Savoir pardonner

Pour beaucoup d'entre nous, le pardon est très difficile à accorder, car on en fait souvent une affaire de fierté personnelle.

En réalité et malgré les apparences, c'est un cadeau que nous nous faisons à nous-même, car accorder son pardon c'est se délester d'un fardeau, c'est se libérer des douleurs du passé.

En effet, si nous vivons dans les affres du passé, dans la rancune, le ressentiment envers des personnes qui nous ont fait du tort, alors nous ne pouvons pas aller de l'avant, car nous restons prisonniers de notre passé... Comme je l'ai proposé dans mon précédent livre *La médit-action*, co-écrit avec Laurent Stopnicki, débarrassez-vous des mauvais R : regrets, remords, reproches, ressentiments, pour adopter les bons A : attention, amour, affection, alliance.
Ce travail de pardon, je le propose souvent aux futures mamans qui ont envie, à l'approche de l'accouchement, de se libérer des sentiments qui continuent de les hanter. Ces sentiments sont bien souvent des reproches qui s'adressent à leur mère ou à leur père. Les mamans ne souhaitent pas transmettre ces empreintes nocives à leur bébé et elles ont bien raison.
Être en paix avec nous-même au moment de donner la vie, c'est le sens de mon travail en maternité.

La pratique

Visualisation du pardon

Installez-vous dans un endroit calme de votre choix.

Devant vous, imaginez la personne à laquelle vous voulez exprimer votre pardon.

Parlez-lui librement, exprimez-lui votre souffrance et votre envie d'effacer les événements douloureux du passé.

Imaginez la personne heureuse, remplie d'amour, en vous écoutant parler. Cette vision dissipe vos rancœurs, les ressentiments que vous éprouvez à son égard.

Sentez-vous heureux, soulagé d'avoir effectué cette démarche de pardon.

Pratique pour vaincre la colère

« On ne s'irrite pas contre le bâton, auteur immédiat des coups mais contre celui qui le manie. Or cet homme est manié par la haine, c'est donc la haine qu'il faut haïr. »
Shantideva, sage indien

En cédant à la colère, nous ne faisons pas nécessairement du tort à nos ennemis mais à coup sûr, nous nous faisons du mal à nous-même.
Se mettre en colère n'a pas d'utilité et peut même avoir des conséquences fâcheuses sur notre équilibre personnel mais aussi sur notre environnement.

Lorsque nous sommes en colère, nous ne distinguons pas les données de la situation, nous sommes uniquement et furieusement attachés à notre seul point de vue, au mépris du reste du monde.

Pour vaincre l'irritation, voici une pratique issue des traditions asiatiques.

La pratique

Lorsque vous sentez la colère, l'irritation monter en vous, essayez de marquer un temps d'arrêt, respirez profondément en comptant jusqu'à dix.

Ensuite, si vous le pouvez, restez statique comme un arbre.

Ancrez-vous dans le sol, détendez vos muscles.

Lorsque vous vous sentez calmé, mettez en œuvre la réflexion.

Posez-vous les questions suivantes :

- Pourquoi cette colère est-elle survenue ?
- Quelles en sont les causes ?
- À quoi cette colère pourrait me servir ?

À cet instant, votre irritation est déjà moins virulente. Vous avez retrouvé un certain calme qui devrait vous permettre d'appréhender la situation de manière plus sereine.

Il faut toujours prendre conscience de la nature réelle de sa colère.

Se relaxer à la maison avec ses enfants

Lorsque vous rentrez chez vous, veillez à ne pas laisser vos préoccupations professionnelles se faufiler dans votre intimité familiale. Le bureau est fermé jusqu'à demain.

Les enfants, comme les adultes, sont soumis eux aussi à de multiples pressions tout au long de leur journée. Les retrouvailles doivent comporter des instants de calme et d'échanges.
La détente peut se décider par un geste et une action.

Dès que vous arrivez, embrassez vos enfants, demandez-leur comment s'est passée leur journée. Écoutez-les avec attention. Bien souvent, les enfants adorent ce moment de partage avec leurs parents.

Félicitez-les pour leurs bons résultats et n'insistez pas d'emblée sur les éventuelles mauvaises notes, encouragez-les à finir ce qu'ils entreprennent (notamment un dessin ou un devoir). Quoi qu'il arrive gardez le contact avec vos enfants, ne laissez pas le silence ou l'incompréhension s'installer, demandez-leur des nouvelles de leurs copains et copines.

Les devoirs terminés, laissez-les regarder un peu la télévision, jouer un peu à un jeu vidéo ou se mettre devant l'ordinateur. Mais point trop n'en faut : attention aux addictions.

Prévoyez du temps pour vous amuser avec eux. Riez avec vos enfants. Cela vous déstressera aussi !
Quand vient l'heure du coucher, pour aider vos enfants à trouver le sommeil, faites-les respirer calmement par le ventre et racontez-leur une belle histoire.
Chuchotez-leur l'exercice qui les conduira en douceur au pays des rêves.

« Inspire en gonflant le ventre, expire en le dégonflant.
Peu à peu tu te sens devenir lourd comme un gros caillou, de plus en plus lourd.
Tu t'enfonces dans ton matelas et tu glisses doucement sur la pente du sommeil comme sur les rayons de l'arc-en-ciel.
Bonne nuit, petit, et fais de beaux rêves. »

Détente en famille avec l'arbre

(Extrait du conte musical Petit Tom au pays de Seréna, chez Nature et Découvertes.)

Dans notre monde de tumulte, il est vital de donner aux enfants des repères de détente qui favorisent leur développement global.
Demandez aux enfants de vous suivre dans cet exercice.

• Plante bien tes pieds par terre comme je le fais avec mes racines.
Lève les bras vers le ciel pour te grandir
et balance-les comme des branches, voilà, comme ça.
Enracine-toi,
tends tes bras,
balance-toi
au rythme du temps,
au rythme du vent.

(L'arbre est un symbole très fort chez l'enfant. L'arbre représente la confiance, l'enracinement, la longévité. Bien enraciné comme l'arbre, l'enfant peut mieux affronter les dangers de la vie. Il peut grandir harmonieusement.)

Rire avec les autres

Bien avant l'invention des clubs de rire, certains moines bouddhistes avaient l'habitude, chaque matin, de rire pendant quelques minutes : c'était un exercice de respiration, destiné à les mettre en forme, tout en leur procurant la sérénité.

Plus de quatre cents fois par jour, c'est le nombre d'éclats de rire des enfants ; une fois devenu adulte, le rire se réduit à une vingtaine de fois.

Et si vous appreniez à rire ?

Je pratique le yoga du rire régulièrement. C'est vraiment très relaxant !

Rire en groupe crée un lien social et permet de retrouver le contact avec l'enfant émerveillé qui est en nous et que l'on a tendance à négliger : l'enfant qui est en contact avec la créativité, le jeu et le côté ludique de la vie.

Il faut parfois plusieurs séances pour réussir à entrer dans le jeu.

En principe, la parole n'est pas utilisée et l'on se regarde droit dans les yeux : c'est de la communication non verbale.

On évite toute moquerie, on est là pour rire de soi, ensemble, mais pas des autres.

Les participants vont à la rencontre des uns et des autres par le regard.

Ils se regardent et se sourient.

La pratique

Rire du cœur

Riez en levant les bras, paumes des mains levées vers le ciel, la tête penchée en arrière. Vous sentez le rire venir du fond du cœur.

Rire du téléphone portable

Vous tenez dans votre main un téléphone portable imaginaire et vous vous déplacez vers les autres, tout en mimant une conversation hilarante.

Rire graduel

Commencez par un sourire franc, bouche entrouverte, en y ajoutant petit à petit des gloussements ou de petits rires espiègles, dont vous augmentez graduellement l'intensité. À ce stade, tous les membres sont prêts à éclater d'un rire vrai, pendant plusieurs secondes. Puis, réduisez petit à petit le rire, jusqu'à son arrêt. Ce rire peut durer plusieurs minutes.

CHAPITRE 2

Zen à la maison

Il est capital de se sentir bien chez soi !

En s'inspirant des principes du feng shui, on peut facilement améliorer l'ambiance de son lieu de vie.
Le feng shui est l'art d'harmoniser son intérieur selon des règles chinoises vieilles de trois mille ans !
Le feng shui permet de favoriser la circulation du ch'i (la force qui unit l'homme à son milieu).
Selon le feng shui, un courant d'énergie relie tout ce qui nous entoure, et les plus petits détails dans l'agencement de notre appartement peuvent avoir une influence sur notre mieux-être.
Il est donc intéressant de connaître quelques règles pour avoir un bon feng shui et pour ainsi évoluer dans une atmosphère sereine.

Les couleurs, la lumière, les plantes d'intérieur sont des éléments qui apportent bien-être et sérénité dans la maison. Écouter de la musique, regarder des belles fleurs, un beau tableau, ressentir des parfums agréables sont des actions simples qui nous apportent une énergie positive.
Le feng shui enseigne que c'est à travers l'ordre et la propreté que l'on se purifie.

Commencez par éviter le désordre qui bloque l'énergie, rangez vos affaires et n'hésitez pas à vendre ou mieux à donner à ceux qui en ont besoin tout ce que vous n'utilisez plus (objets, vêtements, chaussures).

Vous y verrez plus clair dans votre tête et dans votre vie !

Feng shui de la chambre à coucher

Voici quelques conseils feng shui pour l'aménagement de la chambre à coucher.

Tout d'abord parlons du meuble principal, c'est-à-dire le lit.

Mettez toujours la tête de lit contre le mur.

Dormir contre un mur plein apporte une sécurité.

Surtout pas de fenêtre, ni de porte, ou de poutres derrière la tête de lit, dans son dos.

- Comment mettre le lit par rapport à la porte ?

Évitez de mettre le lit face à la porte. Ce positionnement est néfaste, car les énergies qui passent par la porte sont trop fortes et peuvent empêcher de dormir.

L'idéal est de mettre le lit dans le coin opposé, en diagonale par rapport à la porte.

C'est ce qu'on appelle la position dominante.

Maintenant parlons décoration.

Selon le feng shui, on évite d'installer un miroir dans une chambre à coucher.

La réflexion de votre lit dans une glace dégage une énergie yang trop forte

De même si vous avez une télévision dans votre chambre, recouvrez-la de mousseline ou tournez l'écran car la télévision éteinte reflétera votre lit comme un miroir.

• Alors, que faut-il mettre dans la chambre pour mieux dormir ?

Choisissez des couleurs pastel pour les murs. Installez dans votre chambre des meubles aux formes arrondies, pour ne pas avoir de pointes dirigées vers le lit.

Évitez les meubles de bureau les ordinateurs et la télé d'une manière générale tout appareillage électronique.

La nuit, il ne faut pas laisser passer la lumière du jour qui est trop yang, alors tirez les rideaux et ainsi créez la nuit qui est yin.

En feng shui, par ailleurs, on déconseille de mettre des plantes et des fleurs dans la chambre, les plantes étant trop énergisantes.

• Une info feng shui pour tous les couples.

Pour un couple, il est préférable de dormir dans la même chambre pour vivre les mêmes énergies.

Grâce au feng shui, votre chambre aura plus d'harmonie et vous pourrez ainsi dormir sur vos deux oreilles !

Feng shui du bureau

Le bureau est notre lieu de travail et on y passe une bonne partie de notre temps, il est donc souhaitable de bien l'aménager, ne serait-ce que pour améliorer notre efficacité au travail et accroître notre créativité.

Le bureau ne doit pas être près de l'entrée de la pièce.
Dans le bureau, il est préférable d'installer son poste de travail dans la diagonale de la porte.
Si vous vous positionnez juste face à la porte d'entrée, vous êtes face à des énergies trop fortes.

Mettez des plantes vertes aux feuilles arrondies pour absorber les ondes émises par les appareils électroniques (ordinateur, imprimantes, wi-fi).

Beaucoup de meubles contiennent des substances chimiques allergènes alors si cela vous est possible optez pour un bureau en bois, des matériaux naturels pour favoriser le bien-être et la santé.
Vous pouvez également opter pour un plateau en verre, dont les effets sont plus stimulants.
Classez, archivez vos dossiers anciens et jetez vos papiers inutiles. Rangez vos étagères avec soin.
Mettez un bon éclairage yang, assez fort.
L'entrée du bureau doit être ouverte et sans encombrement.

• Ce qu'il faut éviter

Évitez d'avoir une fenêtre derrière votre dos. Un mur plein est nettement préférable. Rien de tel que la protection d'un mur dans le dos et d'un large fauteuil pour se sentir bien à son bureau.

Ne placez pas votre bureau devant un poteau. Si votre bureau est dans l'angle d'un mur, vous pouvez mettre une plante pour l'adoucir.

Feng shui de la salle de bains et des W.-C.

La salle de bains doit être un lieu agréable, car c'est l'endroit où l'on prend soin de son corps.
Comment rendre cette pièce feng shui ?

La première recommandation que je puisse vous faire est de ne pas installer de salle de bains intégrée dans la chambre. Il ne faut jamais d'eau dans une chambre. Si tel est le cas, mettez des paravents pour cacher vos installations sanitaires.
Il n'est pas souhaitable non plus d'avoir une salle de bains au centre de votre appartement. En feng shui, la salle de bains doit être de petite taille car c'est le lieu où nous nous lavons où nous éliminons nos déchets. Cette pièce est donc très yin.
Gardez donc votre salle de bains de taille modeste. Vous aurez d'autant plus de plaisir à la rendre fonctionnelle et belle.

Les couleurs idéales pour une salle de bains et pour les W.-C. également sont le blanc, le bleu, le vert. C'est-à-dire des couleurs qui appartiennent à l'élément eau.
La salle de bain est humide et le feng shui recommande d'avoir une bonne aération pour éliminer cette humidité.
Concernant les W.-C., n'oubliez pas de rabaisser l'abattant des toilettes avant d'actionner la chasse d'eau. Vous pourriez activer des énergies négatives. L'eau quitte la maison plus sale qu'elle n'y est rentrée. En recouvrant la lunette, vous minimiserez ce phénomène.

Feng shui du séjour

Pour faire votre séjour, choisissez la pièce la plus grande de la maison.

Mettez votre canapé face à la porte pour avoir une vue sur l'entrée.
Face à votre canapé, il est bon de placer une table basse et au moins deux sièges.
Idéalement situez vos sièges ou vos fauteuils en forme de cercle autour du canapé pour créer un espace chaleureux propice à la discussion, à la convivialité.
Cet agencement permet une bonne circulation des énergies. Celles-ci tourneront autour de la table dans une ronde apaisante. En effet, la nature ne connaît pas les lignes droites, elle ne connaît que les mouvements courbes.
C'est pour cela que les déplacements doivent se faire de façon douce et fluide.
Votre séjour doit être la pièce la plus yang de votre habitation. Celle qui a le plus d'énergies vivantes. Placez une plante verte près de la chaîne hi-fi ou de la télévision pour en atténuer les effets de radiation.
Optez pour des couleurs vives et gaies.
Éclairez bien la pièce. En installant une lumière dans votre secteur sud, vous accroîtrez votre réputation. Plus vif est l'éclairage, plus grande est la chance.

Évitez les couleurs tristes et sombres ainsi que les tableaux agressifs. Le séjour est l'endroit idéal pour écouter de la musique.

Si le cœur vous en dit, vous pouvez également suivre certains préceptes toujours en vogue chez les Chinois qui veulent favoriser leur réussite.

Pour la prospérité, vous pourrez installer dans votre séjour un aquarium symbole de richesse, placez-le au sud-est de préférence.

Pour améliorer votre carrière, installez une fontaine d'eau qui s'écoule de haut en bas, placez-la plutôt au nord.

Pour les études de vos enfants, placez un vrai cristal de roche, ou tout autre quartz au nord-est de la pièce.

Feng shui de la cuisine

La cuisine doit respirer la santé puisque c'est la pièce où l'on prépare le repas.
Pour plus d'hygiène, laissez le minimum d'objets exposés à la poussière.
Préférez les placards fermés ou si vous avez des meubles vitrés, rangez bien votre vaisselle.

Dans votre cuisine, Il ne doit pas y avoir d'objets coupants (couteaux) suspendus ou visibles. Alors, rangez tous vos couteaux de cuisine dans les tiroirs.
Votre cuisine doit être lumineuse ! La lumière naturelle est idéale, si elle n'est pas suffisante, n'hésitez pas à utiliser des repères, des plafonniers.

Il ne faut jamais placer le four ou la cuisinière à côté de l'évier, et encore moins en face. L'évier représente l'eau et la cuisinière le feu. Pour les Chinois, le feu yang qui fait cuire nos aliments est sacré.
L'évier (l'eau), en face de la cuisinière, attaque le feu sacré qui cuit nos aliments. Nous sommes dans le cycle de destruction : l'eau éteint le feu.

La meilleure solution est de changer l'eau ou le feu de place. Si vous ne pouvez rien changer et que la cuisine est assez grande, vous pouvez mettre une table de bois entre l'évier et le feu. Vous entrerez ainsi dans le cycle de construction : l'eau nourrit le bois qui nourrit le feu.

N'installez pas de point de cuisson au centre de la cuisine. Certains architectes aiment mettre la cuisinière au milieu de la pièce. Du point de vue feng shui, le centre de la pièce doit rester dégagé.
Oubliez le côté « tendance », donnez la préférence à votre bien-être.

Évitez de suspendre des fleurs séchées dans votre cuisine, choisissez des fleurs fraîches qui apportent de la vitalité et n'oubliez pas de changer l'eau quotidiennement. Exposez de beaux fruits dans votre cuisine et jetez ceux qui commencent à se gâter.

CHAPITRE 3

La musique et la voix

La musique

« La musique est la religion de l'avenir »,
affirme *l'Indien Hayes Inayat Khan.*

Si on cherche quelque chose qui rassemble les humains au-delà de leur couleur de peau ou de leur religion, on pense à la musique qui permet de communiquer de manière harmonieuse.
La musique ne fait pas qu'adoucir les mœurs.
Sylvie Robichaud-Ekstrand, professeur à la faculté des sciences de Montréal a consacré une étude à cette question.
Selon elle, la musique induirait un état de détente qui stimulerait la production d'endorphines du système limbique. « On a noté que l'écoute de musique avait entraîné une diminution du degré d'anxiété ainsi que des rythmes cardiaque et respiratoire chez des patients ayant survécu à un infarctus du myocarde aigu et séjournant à une unité de soins coronariens ou intensifs », rapporte-t-elle.

Des études ont montré que les vibrations sonores agissent sur la croissance et sur la santé des cellules végétales.

Certaines fréquences musicales entrent en résonance avec celles de notre système nerveux et nous procurent une sensation d'apaisement, de bien-être. Des études ont montré que l'écoute de la musique stimule la production de neurotransmetteurs, lesquels vont agir sur le stress et renforcer le système immunitaire.
Nous avons d'autant plus besoin d'ondes régénérantes que nous sommes tous plus ou moins perturbés, selon notre cadre de vie, par la pollution électromagnétique engendrée par notre environnement.
La télévision, les ordinateurs, les téléphones mobiles, les téléphones sans fil, le wi-fi, le four à micro-ondes... Toutes ces merveilles de la technologie, émettent à différents degrés des ondes électromagnétiques qui à la longue affectent nos fonctions vitales.

La solution

Mon mari, Laurent Stopnicki, compositeur de musique, a trouvé un antidote à cette pollution : des ondes sonores qui permettent de rétablir notre équilibre et d'harmoniser nos énergies.

Sa musique ne passe pas par le mental, mais agit directement sur les cellules.
Depuis plusieurs années, Laurent effectue un travail de recherche très personnel sur les sons, les timbres, en étudiant l'influence des vibrations sonores sur les émotions.

Les musiques qu'il compose induisent un état de relaxation profonde qui permet de nous ressourcer, de réguler notre métabolisme, certaines basses fréquences favorisant l'entrée dans la détente.
Dans certains morceaux de musique, les sons tissent pour l'auditeur une enveloppe musicale apaisante, acoustiquement proche des perceptions intra-utérines...
Ces musiques aident nos cellules à retrouver le chemin du bien-être, et à nous ressourcer en profondeur.
D'une façon générale, nous vous conseillons vivement d'écouter des musiques douces le soir lorsque vous rentrez chez vous ou avant de vous endormir.
Vous pouvez également puiser dans le répertoire classique, œuvres pour piano de Schumann, concerto de piano de Mozart, riches en hautes fréquences, pièces pour guitare.
Je vous conseille d'éviter les symphonies souvent dramatiques et trop émotionnelles.

À noter : Les musiques modernes rock, R and B, techno sont très stimulantes et devraient plutôt être écoutées le matin que le soir car elles ont un tempo supérieur à 110 battements par minutes ce qui a pour effet d'augmenter nos pulsations cardiaques et d'exciter notre système neurovégétatif.
Par ailleurs n'abusez pas du casque et incitez vos enfants à la modération quant à l'utilisation du baladeur avec un casque.
Si vous utilisez l'ordinateur ou un baladeur-mp3 pour écouter de la musique, procurez-vous des enceintes qui assurent une diffusion agréable.

On trouve depuis peu des systèmes peu onéreux qui vous assureront un confort d'écoute bien plus satisfaisant que le casque.
Vous pouvez également faire des exercices de ce livre en utilisant une musique qui favorisera votre détente.

La voix zen

J'utilise les musiques de Laurent en maternité pour accompagner avec ma voix les mamans tout au long de la grossesse, certaines les utilisent même au cours de leur accouchement.
Dès le sixième mois de sa vie prénatale, le fœtus perçoit de nombreuses vibrations sonores, il entend la voix de sa mère puis d'autres sons filtrés par le liquide amniotique et il mémorise ce qu'il entend comme nous avons pu le constater dans notre travail en maternité auprès des femmes enceintes et des bébés.
La voix a un impact exceptionnel sur la détente et le système neurovégétatif. Voilà pourquoi j'utilise un timbre de voix très doux qui berce le fœtus, et apaise la maman.
C'est en pensant à ce phénomène que nous avons orienté notre travail de voix et de composition afin que l'auditeur retrouve les sensations originelles de paix et de sécurité, sensations de paradis retrouvé.
Cet environnement apaisant est propice à la méditation, au lâcher prise et à la détente profonde. Il nous permet d'accéder ainsi à une autre énergie.

Il suffit parfois d'écouter ces musiques pour qu'aussitôt se remodèle en nous l'impression sécurisante de la détente.
Tout comme on peut ressortir une photo mentale d'une visualisation et en retrouver les émotions, l'évocation d'un thème musical associé à la détente vous permettra de retrouver vos sensations de bien-être.

Les bienfaits du chant

Chanter fait travailler la glande hypophyse qui est la glande du bien-être.
Chanter aide nos énergies à circuler, ce qui provoque une détente laryngée car tous les nerfs passent par le cou.
Chanter nous permet de libérer des émotions, celles qui restent coincées et que l'on n'arrive pas à libérer par la parole.
Chanter est bon pour la détente et pour la beauté.
Le chant est un antirides naturel.
Lorsque l'on chante, on fait de la gymnastique faciale car les muscles rattachés au visage, aux joues, aux lèvres, au cou et au buste travaillent. Cela entretient l'élasticité de la peau de notre visage qui devient plus lisse.

Trouver votre voix

J'aime chanter depuis que je suis enfant.

Le chant m'a donné une énergie de vie et m'a aidée à me réaliser. Le chant est devenu un art de vivre.

J'étais loin d'imaginer qu'un jour je ferais des concerts, au Japon, devant des milliers de personnes !

Un disque que je venais de sortir en France, « Ose », s'est retrouvé en import au Japon et un jeune directeur artistique a eu un coup de foudre en écoutant ma voix. Il est venu à Paris pour me retrouver en me disant qu'il aimait le timbre de ma voix et en me prédisant qu'il ferait de moi une star de la chanson française au Japon. C'est ce qui arriva quelques mois après notre rencontre !

La pratique

Apprenez à respirer

D'abord j'ai appris à respirer.

Un vrai travail sur la voix débloque le souffle et libère les tensions de la bouche.

En respirant par le ventre, on libère le diaphragme et on augmente sa capacité respiratoire.

Apprenez à vous détendre et à poser votre voix

Plus vous serez détendu, plus votre voix sera posée.

Soyez relaxé pour stabiliser votre voix.

Reconnaissez votre « vrai » timbre

En travaillant ma voix, j'ai découvert que je pouvais élargir mon registre expressif.

Ma voix aiguë a trouvé une nouvelle fréquence, plus grave.

J'ai l'impression d'avoir découvert mon « vrai » timbre.

Libérez vos émotions

Le chant est l'expression de notre être profond.

Il permet d'évacuer le stress et les émotions négatives. S'autoriser à chanter, c'est se réconcilier avec son enfant intérieur.

Trouvez la bonne posture

Pour sortir sa voix, il faut se tenir debout, tête et dos bien droits, les pieds légèrement écartés.

Inspirez par la bouche en gonflant le ventre et en ouvrant le diaphragme et les côtes.

Puis expirez longuement par la bouche en prononçant un « oh ! » ou un « ah ! ».

Cette attitude ouverte nous donne confiance en notre voix intérieure.

Pratiques de préparation au chant

La tension de nos muscles, la souplesse de notre corps, nos pensées et notre intention participent à la profondeur de notre voix. Il est important de bien gérer son souffle et de chanter avec son cœur et son âme.

Les pratiques

Cinq minutes de relaxation et de plaisir

En Position debout

1. Inspirez par le nez.
2. Levez les deux bras, paumes tendues, comme si vous vouliez pousser le ciel.
3. Grandissez-vous et relâchez. Soufflez.
4. Apprenez à vous ancrer dans la terre car, sans un bon ancrage au sol, votre chant ne peut s'exprimer pleinement. Posez vos pieds bien à plat, les jambes souples.
5. Levez un bras, paume tendue, ouverte vers le ciel. Tendez le bras, en serrant le poing, puis relâchez.
6. Inspirez et à l'expiration poussez un « ah ! » d'émerveillement et de plaisir.
7. Puis inspirez et à l'expiration poussez un « oh ! » de bonheur.
8. Et inspirez à nouveau et à l'expiration poussez un « om » final.

CHAPITRE 4

Manger zen

Nous sommes ce que nous mangeons.

L'alimentation saine est bonne pour la santé, bien agrémentée, elle peut être délicieuse.

J'adore manger des aliments bio, ils ont un goût authentique !

Pour être en bonne santé, il convient d'adopter une alimentation équilibrée basée sur une consommation d'aliments variés, sans oublier la notion de plaisir.

La consommation de graisse devrait être de 30 %, et elle est en France de 42 %.

Je vous conseille donc de manger moins de graisses et plus de fibres, de fruits et de légumes qui en plus sont antistress par excellence !

Lorsque vous mangez, prenez conscience de la saveur des aliments et n'oubliez pas de mastiquer. Ne mangez jamais en état d'énervement ou de précipitation.

En effet, le stress dérègle la thyroïde et la production de cortisol, provoquant des sautes d'humeur, des troubles de l'appétit et une diminution de l'énergie.

Tâchez de prendre vos repas dans le calme et la bonne humeur et de préférence avec des gens que vous appréciez.

Certains aliments sont bénéfiques pour notre mémoire. Il ne faut donc pas s'en priver !

Lorsque l'on veut perdre du poids, je suis persuadée que l'on peut mincir tout en restant en bonne santé en observant des règles de bon sens.
N'oublions pas que l'eau est un de nos meilleurs atouts minceur et draineur !
Les aliments et l'eau apportent les substances nutritives nécessaires au bon fonctionnement de l'organisme.

Manger en conscience : la mastication

Lorsque vous déjeunerez, je vous conseille de prêter attention à la mastication des aliments, pour faire de votre repas un moment de plaisir mais aussi pour favoriser votre digestion. Les aliments se digèrent d'abord dans la bouche !

La sensation de satiété apparaît au bout de vingt minutes de repas et seulement si vous avez mâché et salivé.

Il faut vraiment prendre le temps de manger. C'est important.

Mangez en pensant à ce que vous mangez et en laissant de côté vos préoccupations.

En avalant rapidement, vous ne vous sentez pas rassasié et vous ralentissez la digestion, favorisant les risques de ballonnements et d'inconfort intestinal. Le cerveau est alors incapable d'envoyer des signaux de satiété.

La pratique

Aujourd'hui, vous avez comme entrée une délicieuse salade de tomates mozzarella. Regardez-la avec appétit !
On se nourrit d'abord avec les yeux. D'où l'importance d'avoir des aliments de différentes couleurs dans son assiette.
Il faut prendre le temps de regarder ce qu'il y a dans notre assiette pour sentir la beauté de ce qui va nous nourrir.

Pour la dégustation

Vous poserez votre fourchette entre deux bouchées pour vous obliger à ralentir le rythme.
Vous essayerez de mâcher chaque bouchée au moins cinq fois de suite, le plus lentement possible pour faciliter votre digestion.
Vous vous concentrerez sur les sensations que vous procurent les aliments, sur leur saveur et leur texture. Vous prendrez le temps de vous régaler.
Bon appétit et n'oubliez pas que détente et mastication sont le secret d'une bonne digestion.

Les aliments antistress

Aujourd'hui le stress est un phénomène universel. Il est la réponse de l'organisme face aux agressions.

Que se passe-t-il face à une situation stressante ?

Le rythme cardiaque s'accélère, les taux de sucre et de cholestérol augmentent dans le sang et à la longue l'immunité diminue.

On peut trouver des aliments qui favorisent le mieux-être et qui aident à résister au stress de la vie quotidienne.

Les fruits et les légumes contiennent des vitamines qui vous aideront à faire face au stress.

• Les fruits et les légumes

Choisissez-les de préférence bio et sans traitement chimique.

Ils contiennent pour la plupart de la vitamine C qui est la vitamine antistress par excellence.

Gardez toujours à disposition un panier contenant une grande variété de fruits et de légumes.
La nature nous en propose des milliers d'espèces, des petits, des gros, des verts, des jaunes... Cassis, chou, citron, groseille, kiwi, orange, pamplemousse...

Les fruits et les légumes contiennent tous des oligo-éléments aux propriétés bénéfiques pour notre santé.
Le zinc renforce les défenses immunitaires : champignons, pois.
Le phosphore renforce la mémoire : soja, chou-fleur, pomme de terre, haricot vert.
Le manganèse est relaxant : artichaut, salades.
Le soufre est désintoxicant et dépuratif : poire, pêche, fruits secs.

Le magnésium est le principal remède contre le stress.
Les personnes irritables et dépressives en manquent souvent.
Il favorise les échanges neuromusculaires et réduit l'excitabilité.
Vous pouvez faire des cures de magnésium deux fois par an.
Il aide à lutter contre les troubles nerveux : on le trouve dans les bananes, les lentilles, les figues fraîches.

Le calcium est indiqué chez les sujets stressés. Il est particulièrement recommandé à ceux qui ont tendance à faire de la spasmophilie : alors mangez du cresson, du persil, des abricots secs qui sont des fournisseurs naturels de calcium.

Attention aux faux amis antistress : l'alcool, le tabac et le café. Ils sont à moyen terme des excitants qui épuisent votre organisme.

Autre facteur de stress : le grignotage entre les repas.

Buvez du basilic en infusion contre les spasmes nerveux de l'estomac.

Si vous éprouvez un besoin irrésistible de manger, buvez un grand verre d'eau.

Voilà ce que je vous ai rapporté du marché :

Des noix, un morceau de chocolat car le cacao est très riche en magnésium et il faut savoir se faire plaisir pour lutter contre le stress !

Des fruits de saison pour tous à consommer au moins une fois par jour.

Du miel, quelques plantes antistress (passiflore, valériane et réglisse).

Et si vous avez un petit coup de déprime, buvez une coupe de champagne, c'est un antidépresseur naturel : champagne pour tous !

Pour combattre le stress, il n'y a rien de mieux que de se faire des petits plaisirs. Seul l'excès peut porter préjudice.

Mincir en restant en bonne santé

En collaboration avec les diététiciens de la Villa Minceur à Paris.

Vous avez un ou deux kilos à perdre ?
Voici des conseils de bon sens pour un rééquilibrage alimentaire.
Ils vous aideront à les perdre en douceur !

Bougez, faites de l'activité physique. Cela permet une fonte plus rapide des graisses.
Pour mincir, tous les diététiciens vous recommanderont de marcher au minimum vingt minutes par jour. Une marche active permet d'étirer les muscles des jambes et de faciliter le retour veineux, de drainer les cuisses et les mollets.
Pensez à monter l'escalier, au lieu de prendre l'ascenseur.

Prenez trois repas par jour et n'oubliez pas de prendre des protéines à chaque repas.

- Le matin

Dès le matin, aidez votre organisme à se réveiller, en buvant à jeun, un grand verre d'eau pour éliminer les déchets de la nuit.
Prenez une boisson chaude, un fruit, un yaourt ou un fromage blanc nature.
Préférez le pain complet, le pain à l'épeautre, au quinoa ou au seigle, contenant beaucoup de fibres.

Évitez les viennoiseries, le pain blanc et les biscottes.

Prenez du vrai beurre, mais pas de margarine.

Vers 11 heures, prenez une collation : par exemple, un yaourt ou une pomme.

Une tranche de jambon avec des tomates.

Six amandes riches en oméga 3.

- Déjeuner

Prenez une protéine : œuf, poisson, produit laitier ou soja.

Ne dépassez pas votre poing en quantité de féculents.

Préférez les céréales complètes.

Mangez des légumes cuits et crus.

Ne dépassez pas deux cuillères à soupe par repas d'huile d'olive, de colza ou de noix. Pensez à alterner toujours les huiles.

Mettez quelques gouttes de citron dans vos salades et vos crudités, ainsi que sur vos poissons. Cela fait baisser de 30 % le taux de sucre sanguin d'un repas entier !

En dessert, prenez un fruit ou une compote, accompagnée d'un laitage.

Mangez au moins cinq fruits et cinq légumes par jour.

- Dîner

Pour vous endormir zen, ne mangez pas de viande le soir. Privilégiez les plats de type céréales complètes plus légumineuses (comme le maïs, les haricots rouges, le riz, le tofu, les pâtes de blé ou le quinoa, en assaisonnant d'un filet d'huile).

Régalez-vous de salades, de légumes cuits et de poisson grillé.

Prenez un peu de pâtes. Les lentilles et les haricots secs sont d'excellents féculents, pauvres en graisse.
Pour maigrir, consommez des huiles de bonne qualité : de préférence, de première pression à froid, qui n'ont pas été chauffées, ce qui assure le maintien de ses qualités nutritionnelles. Une cuillère à soupe d'huile équivaut à 90 calories.
Je vous conseille l'huile d'olive et l'huile de tournesol, et en complément, l'huile de colza et de noix.
Ce duo d'huiles apporte des oméga 3 et 6, ainsi que de la vitamine E, antioxydant naturel très bénéfique pour le système nerveux, la peau, le transit et donc pour la ligne.

Pour bien mincir, il est indispensable de bien mâcher. Une bonne digestion facilite une salive riche en enzymes minceur. Bien mâcher est fondamental pour la santé comme pour la silhouette.

Mangez des aliments contenant de la sérotonine. Ce messager chimique agit sur notre centre de satiété, situé dans le cerveau. Alors dites oui au soja, à l'avocat, à la dinde, au poisson, à l'œuf, à l'aubergine, à la prune et au pain complet.

Le stress peut entraîner chez certaines personnes une prise de poids. Pour l'éviter, (*voir* les fiches sur les pauses détente) faites des pauses respiration. Inspirez le positif, expirez le négatif !

Si vous avez le temps, massez-vous le matin à jeun avec une crème minceur, cela privilégie un bon déstockage des graisses.

Les bienfaits de l'eau

L'eau est le constituant majeur du corps humain. Elle est essentielle à la vie et compose plus de 60 % de notre corps.

Nos muscles ont besoin d'eau pour bien fonctionner et nos reins se servent de l'eau pour filtrer les impuretés dans notre sang.

Les aliments que nous mangeons – lait, fruits et légumes, viandes et poissons – apportent environ un litre d'eau par jour.
Il est recommandé de boire fréquemment par petites quantités, tout au long de la journée et sans attendre la sensation de soif. Aussi est-il indispensable de boire pour rester en bonne santé.

L'eau est bonne pour la peau : le derme contient 80 % d'eau. Alors, pour avoir une peau souple, hydratez-vous.

L'eau est essentielle pour les poumons. En respirant, on rejette du gaz carbonique et de l'eau. Si on ne boit pas assez le transit est plus lent. L'eau est donc excellente pour les intestins et les reins car plus on boit et moins ils se fatiguent. Par ailleurs, boire permet de prévenir les crampes et les courbatures.

L'eau est ainsi un aliment essentiel à notre bonne santé et doit être apporté de façon abondante sur toute la journée, non pas uniquement lorsque l'on a soif, puisque la sensation de soif est un signe tardif de déshydratation. En plus de l'apport en liquide, l'eau va permettre de fournir à l'organisme des sels minéraux.

Dans la journée, nous perdons de l'eau lorsque nous respirons et lorsque nous marchons, et pendant toutes nos activités physiques.
Ce phénomène naturel, s'il n'est pas compensé par une prise de liquide, peut provoquer une déshydratation plus ou moins importante, surtout chez les enfants et les personnes âgées.

La diététique de la mémoire

Une alimentation saine est nécessaire au bon fonctionnement de notre cerveau.

Toutes nos cellules, et surtout les neurones (les cellules nerveuses) s'altèrent au cours de la vie.

Ce processus d'oxydation est lié à l'existence de radicaux libres. Particules extrêmement agressives, dérivées de l'utilisation de l'oxygène, les radicaux libres ne sont pas tous néfastes, ils sont même indispensables à la vie. Mais lorsqu'ils sont en excès (et c'est pratiquement toujours le cas), ils deviennent particulièrement dangereux et provoquent l'oxydation, « la rouille » de notre organisme.

L'oxydation accélère le vieillissement et favorise le développement des maladies. D'où l'importance d'une alimentation riche en substance antioxydante : vitamines C, A et E.

– La vitamine C est présente dans tous les fruits et surtout dans le kiwi, l'orange, le pamplemousse et le citron. Elle agit directement sur le système cérébral, évitant le surmenage.

– La vitamine A ne se trouve que dans les produits d'origine animale : foie, viande, poisson, lait entier (le lait écrémé est enrichi en vitamine A), beurre, œufs, fromages. Elle améliore la croissance cellulaire.

– La vitamine E antioxydant, freine le vieillissement du cerveau (laitue, germe de blé).

– Les oméga 3 sont les meilleurs antioxydants, protecteurs du système cardiovasculaire. Ils sont présents dans les poissons gras, l'huile de noix et de noisette.

– Les glucides rapides : les sucres à assimilation rapide (comme le miel) libèrent une énergie rapidement utilisable pour alimenter les cellules du cerveau.

– Les glucides complexes : les sucres à assimilation lente, ou l'amidon que l'on trouve dans les pommes de terre, les pâtes, le riz, les légumes secs et les céréales libèrent leur énergie lentement et régulièrement, sans à-coups. Ils sont, de plus, sources de vitamines et de minéraux.

– Les protides sont les principaux éléments qui aident à la réparation des tissus : viande, poisson, œufs, soja et produits laitiers.

– Les lipides : les corps gras sont nécessaires pour le bon fonctionnement du cerveau.

– Le calcium calme le système neuromusculaire et le phosphore régularise le taux de calcium (laitages, amandes).

– Le magnésium exerce une action relaxante sur l'organisme et aide à vaincre la fatigue intellectuelle. Il est présent dans les légumes, les fruits secs et le cacao et aussi dans les fruits comme les bananes, les fruits secs, les noix et les noisettes.
– Les vitamines B améliorent la mémoire, et particulièrement la vitamine B6 présente dans les germes de blé, la levure de bière, le jaune d'œuf, le foie, les légumes verts, les noix, les noisettes et les yaourts... De même, la vitamine B9 et l'acide folique présent dans les légumes verts, le cresson, les épinards, le chou et la salade verte.

– Le chocolat, riche en minéraux, est utile en cas d'efforts intellectuels. Alors ne l'oubliez pas !

CHAPITRE 5

Beauté zen, la beauté au naturel

La peau est un lieu d'échanges exceptionnel : elle abrite plus de 1 500 000 récepteurs sensoriels. La peau nous enveloppe, nous protège et nous permet également d'éliminer de la chaleur et des toxines par la transpiration.

Par précaution, il vaut mieux utiliser des produits de soins (ou de maquillage) naturels.

Dans les fiches suivantes, nous découvrirons l'ayurvéda pour une beauté au naturel, ainsi que les huiles essentielles aux vertus relaxantes.

Pour préserver la beauté de nos yeux, et pour un bon entretien de notre peau, nous utiliserons des gestes essentiels : le massage shiatsu pour atténuer les rides du visage et du contour des yeux.

La beauté ne concerne pas que les femmes. Les hommes, qui sont eux aussi sensibles à leur beauté, prennent conscience de la nécessité de prendre soin d'eux-mêmes.

La beauté est un tout. Elle implique un bien-être du corps et de l'esprit.

L'ayurvéda pour la beauté au naturel

L'ayurvéda est le nom de la médecine indienne. Elle existe depuis plus de six mille ans et continue d'être pratiquée en Inde dans les cliniques, les hôpitaux et les dispensaires. L'ayurvéda, la « science de la longévité », est reconnue par l'Organisation mondiale de la santé.
C'est par ses massages ayurvédiques et pour ses recommandations en tant qu'art de vivre et de bien-être qu'elle est devenue populaire en France.

La beauté et l'ayurvéda :
L'aspect de la peau, des cheveux et des ongles, la luminosité du regard parlent de ce qui se passe à l'intérieur du corps. La beauté vient bel et bien de l'intérieur. Cependant, on peut aussi prendre soin de soi et de sa beauté par l'extérieur.
L'huile tiède passée en mini-massage sur le corps entier (du visage à l'extrémité des mains et des doigts de pieds) nettoie, lubrifie, hydrate, stimule et protège la peau. Suivie par une douche ou un bain, voilà un soin complet !

En pratique

Utilisez de l'huile tiède à 37 °C.

De l'huile de tournesol ou de l'huile d'olive, de préférence bio, et première pression à froid, au printemps et en été.

De l'huile de sésame, de préférence bio, et première pression à froid, en automne et en hiver. Commencez avec un peu d'huile et ajustez la dose selon les besoins de votre peau.

Restez dans un lieu clos et chaud, à l'abri des courants d'air.

Massez, frictionnez et palpez les parties du corps en mouvements longs sur les longueurs et en rond sur les articulations.

Danger : attention de ne pas glisser sur le carrelage de la salle de bain quand vous aurez de l'huile sur les pieds !

Pour un doux gommage du corps, vous pouvez utiliser un peu de farine de blé à saupoudrer sur votre peau et frotter pour retirer l'excédent d'huile et affiner le grain de peau avant de rincer.

Se « laver » à l'huile tiède puis se rincer sous la douche ou dans un bain constitue un soin complet de la peau, assouplit le corps, fait circuler l'énergie et procure bien-être et joie pour toute la journée.

Les huiles essentielles qui relaxent

Une huile essentielle peut être utilisée pure, sur un sucre, ou diluée, avec des huiles végétales.
Les huiles sont fabriquées par extraction de la plante. L'eau s'évapore de la plante et devient un hydrolat ou eau florale.

Les huiles végétales vierges procurent un grand bien-être.
Elles sont riches en oméga 3, en acides aminés et vitamines A et B, en oligo-éléments, bénéfiques pour la santé.

• Quelles sont les huiles les plus relaxantes ?

- Les huiles de lavande sont relaxantes et purifiantes.
- L'huile de carotte est relaxante et cicatrisante.
- L'huile essentielle de verveine est relaxante.
- L'huile de fleur d'oranger citrus orancium est relaxante.
- L'huile de romarin et l'huile de cyprès sont de bons régulateurs nerveux. De même, l'essence de mandarine a des propriétés calmantes.

• Comment utiliser les huiles ?

Il est recommandé de se laver les mains après avoir manipulé une huile essentielle et de ne pas se frotter les yeux.
Les huiles essentielles peuvent être utilisées de différentes manières.

En massage

Les huiles essentielles peuvent être utilisées pour les massages, en les diluant dans une huile végétale de type huile d'amande douce ou huile de noyaux d'abricots.

Il faut diluer de 1 à 5 grammes d'huile essentielle pour 99 % d'huile végétale. En effet, il ne faut pas oublier que l'huile essentielle est un concentré très actif qui passe directement dans l'organisme, à travers la peau, et est véhiculé par le sang. C'est pour cette raison qu'il est préférable, de ne jamais utiliser une huile essentielle pure, en massage, mais de la diluer dans une huile végétale.

En diffusion

Mettez quelques gouttes d'huile dans un diffuseur.

Le cèdre (*cedrus atlantica*) apaise les sinus.

Le pin des Landes (*pinus*) est relaxant ainsi que le pin sylvestre.

Pour vous stimuler dès le matin, mélangez vingt gouttes d'essences de romarin et de coriandre à 50 ml d'eau et vaporisez dans la pièce.

En inhalation

Ajoutez quelques gouttes d'huiles essentielles à un bol d'eau très chaude dont vous respirez les vapeurs, ou encore diffusez-les dans l'air ambiant grâce à un diffuseur d'arômes.

Dans l'eau du bain

Certaines huiles vont vous détendre et vous apaiser : par exemple, les huiles essentielles d'ylang-ylang et d'orange douce. Diluez dix gouttes d'essence de romarin, de cèdre et de citron avec une cuillère de lait en poudre, un verre de gros sel ou un jaune d'œuf. Versez dans l'eau du bain et détendez-vous.

Beauté des yeux au naturel

Selon le Dr Petra Kunze, ophtalmologiste :

Plus que les autres parties du corps, les yeux réagissent mal aux produits trop chimiques, d'où l'intérêt de produits et de soins naturels pour entretenir la beauté des yeux.

Le démaquillage est très important pour la santé des yeux et la beauté des cils et des paupières. La peau des paupières étant très fragile, il ne faut pas la maltraiter en l'étirant trop.

Le tabac, le manque de sommeil, les drogues et l'alcool dégradent très rapidement cette zone fragile du visage.

Le soleil, plus précisément les UV et le tabac, favorisent la rupture des fibres collagène et l'apparition des rides, de la cataracte et de la dégénérescence de la macula. Il est donc fortement conseillé de toujours porter à l'extérieur de jolies lunettes filtrant les UV à 100 %, car les UV sont toujours là, dès qu'il fait jour !

• Le maquillage des yeux

Il est conseillé de faire le trait sous la ligne des cils pour la paupière inférieure et au-dessus de la ligne des cils pour la paupière supérieure. Sinon le maquillage « glisse » à l'intérieur des yeux et « nage » sur la surface oculaire, provoquant yeux rouges et conjonctivites.

• Le démaquillage

La meilleure façon de procéder au démaquillage est d'utiliser d'abord un coton démaquillant humide avec quelques gouttes

d'huile d'amande douce. Passez-le doucement sur les paupières et les cils pour enlever le maquillage.
Ensuite, vous pouvez utiliser un gant de toilette passé sous l'eau chaude en le laissant quelques instants sur vos yeux fermés, pour commencer à ouvrir les pores et pour favoriser l'évacuation des petites glandes lacrymales, à la base des cils, qui peuvent se boucher facilement et favoriser le dessèchement des yeux, des rougeurs et orgelets.
Ensuite, passez une lotion spéciale « yeux sensibles » pour nettoyer parfaitement le pourtour de vos yeux.

• Les paupières gonflées

Le traitement le plus efficace est le drainage lymphatique du visage, associé à l'utilisation de crèmes pour le contour des yeux, à la rose musquée, par exemple. Il faut faire pénétrer la crème à l'aide de la technique du shiatsu.
L'absence de port de lunettes correctrices contribue à fatiguer les yeux et à faire gonfler les paupières. Le travail trop prolongé sur ordinateur, le surmenage et le manque de sommeil accentuent le défaut de circulation lymphatique.
Les compresses de thé peuvent aider à dégonfler les paupières, une goutte de jus de citron dans les yeux redonne de l'éclat au regard, mais ça pique !

• Soins des cils et des sourcils

Le démaquillage journalier, suivi d'un lavage doux des yeux, sont de première importance pour éviter la chute et la cassure des cils. Il faut débarrasser la base des cils de toutes les petites peaux et restes de maquillage, sans trop irriter les paupières. Si un eczéma des paupières apparaît, consultez votre ophtalmologiste pour soigner cette maladie fréquente chez les personnes allergiques.

Finalement, la beauté des yeux est étroitement liée au respect de soi, à son hygiène de vie, et à l'utilisation de produits de bonne qualité. N'oubliez pas de faire contrôler l'état de vos yeux, car une bonne vue ne veut pas dire forcément que vos yeux sont en bonne santé. Le tabac est le pire ennemi de la beauté et de la santé des yeux : qu'on se le dise !

Le massage shiatsu pour atténuer les rides

En japonais, le mot shiatsu est composé de deux racines : « shi » veut dire doigts et « tsu » signifie pression.
Le shiatsu est donc une technique qui utilise les doigts pour exercer une pression le long de canaux appelés méridiens.

Quoi qu'on en dise, l'apparition de petites rides sur le visage est une rude épreuve pour tout le monde.
Les rides apparaissent sur les parties où les muscles relativement minces montrent des expressions, des sentiments et des émotions (au coin de l'œil, sur le front et les tempes). 
Les rides peuvent être accentuées par de longues expositions au soleil et au vent, par des régimes alimentaires mal équilibrés, mais aussi par le tabagisme et le stress émotionnel.

• Pour atténuer les rides verticales du front

Avec le bout des quatre doigts (sauf le pouce) des deux mains, appliquez le shiatsu sur le front, en tirant la peau vers l'extérieur, en commençant par la ligne médiane du front vers les deux côtés (gauche et droit) en même temps.

Quand vos doigts arrivent à chaque extrémité du front, lâchez d'un trait vos doigts, en frottant la peau.

Répétez cinq à dix fois cette opération, sur les deux côtés à la fois.

• Pour atténuer les rides horizontales du front

De la même manière, appliquez le shiatsu sur le front, en tirant la peau vers la tête, en commençant par un endroit situé au-dessus du sourcil vers le bord frontal de la chevelure.

Répétez cinq à dix fois cette opération, sur le front, avec les deux mains.

• Pour atténuer les rides autour des yeux

Appliquez le shiatsu autour des yeux et sur la tempe, comme si vous donniez un coup de fer sur un tissu froissé. Utilisez votre pouce comme un fer à repasser, pour presser autour des yeux et de la tempe.

Donnez ainsi de trois à cinq pressions de deux secondes sur chaque côté.

• Pour atténuer les rides du cou

La partie antérieure du cou est aussi un élément esthétique important.

Pour atténuer ces rides qui gâchent notre beauté, il faut presser profondément avec le pouce la partie antérieure du cou, c'est-à-dire l'endroit où vous sentez le pouls, jusqu'à la clavicule où se trouve la thyroïde. Après avoir traité cette partie antérieure des deux côtés, frottez bien le cou à plusieurs reprises.

Appliquez le shiatsu au niveau du cou : donnez de trois à cinq pressions de deux secondes sur la partie antérieure du cou, de chaque côté.

Pour éviter que le menton s'affaisse, articulez de manière exagérée et dites « A O, O X, U X. »

Conclusion

Comme vous avez pu le constater, ces pratiques ne sont pas abstraites et coupées des réalités du monde, je les ai adaptées de telle façon que vous puissiez vous les approprier facilement et les utiliser dans votre vie de tous les jours.

Vous avez à présent toutes les clefs pour être plus serein dans les différentes situations de la vie quotidienne.

Choisissez celles qui vous conviennent le mieux et surtout essayez d'être constant, de vous entraîner plusieurs fois par jour, même si vous disposez de peu de temps.

Ces pauses détente vous permettront de vous extraire de vos tracas, de votre ronron intérieur, et donc de prendre du recul par rapport aux difficultés que vous pouvez rencontrer et qui peuvent troubler votre esprit.

Prenez un moment pour vous isoler et créer votre bulle de confiance et de sérénité.

Ainsi, lorsque vous reviendrez au réel après quelques minutes de pratique, vous vous sentirez plus fort et plus détendu pour affronter le quotidien.

Ces pauses détente vous permettront de retrouver le silence intérieur, de vous connecter à vous-même.

Je vous souhaite de trouver cette paix intérieure, cette alchimie entre le corps et l'esprit.

Lorsque nous commençons par faire la paix avec nous-même et avec notre entourage plutôt que d'espérer des changements qui viennent de l'extérieur, agissons là où nous pouvons exercer notre influence.

Ce besoin de sérénité que nous ressentons de plus en plus n'est pas un effet de mode, c'est une aspiration profonde et authentique.

Si vous vous sentez en harmonie avec vous-même, cette harmonie résonnera autour de vous, dans votre entourage, dans votre immeuble, votre quartier, votre association, et si nous sommes nombreux, ce qui est le cas, à désirer un monde fondé sur des valeurs plus pacifiques et plus justes, alors ce monde pourra devenir meilleur.

Je pense intimement que nous créons le monde dans lequel nous vivons et je souhaite sincèrement que ce livre participe à cette création.

À présent vous avez les cartes en main, c'est à vous de jouer.

Et n'hésitez pas à me tenir au courant de vos avancées.

Remerciements

Je remercie Edith Balbin, ma tante, et Laurent Stopnicki, mon mari, pour leur aide précieuse, leur écoute attentive et leur relecture patiente de ce livre.

Ainsi que tous mes amis pour leur appui et leur confiance.

Mes remerciements également à Hubert Taieb de TF1 entreprises qui a cru en mon projet.

Merci à Annie-France Giraud pour ses belles illustrations zen.

A tous du fond du cœur, un grand merci.

Pour me contacter et être au courant de mes activités :
carole.serrat@wanadoo.fr ou carole@agenceduzen.com
www.agenceduzen.com

Mes adresses bien-être zen

Hélène Weber : Conseillère en Feng Shui :

helene-weber@orange.fr, 06.87.83.13.92

Pierre Veau votre expert Feng Shui, géobiologie :

pierre.veau@laposte.net, 06.83.62.71.39

André Nahum : École française de shiatsu :

federation@shiatsu.fr

Fabienne Marquaire : praticienne en gym du docteur Ehrenfried :

01.40.16.11.38

www.gym-dr-ehrenfried.fr

Corinne Gaudio : formatrice en toucher massage : association l'essentiel : mailcorinne.gaudio@free.fr

Antenne des médecines douces et alternatives :

www.medecinesdouces.com

William Berton : acupuncteur, ostéopathe, auteur *Des couleurs pour habiller sa vie* (éditions Colorscope)
www.langagedescouleurs.net

Isabelle Vinci : Enseignante en yoga et thérapie corporelle : 01.47.61.00.81

Cécile Blau de l'Association des professionnels en ayurvéda
www.ayurveda-france.org

Laboratoire Motima : www.motima.fr

Docteur Bouhanna : dermatologue : 01.42.27.15.44

La Villa Minceur, 63 rue de Ponthieu, 75008 Paris
La clinique de la Muette : 01.44.24.44.44
La maternité des Lilas : 01.49.72.64.65
La clinique du Bien-Naître : 01.44.68.63.63

Bibliographie :

Marshall B. Rosenberg, *La communication non violente*, Jouvence.

Docteur Henri Rubinstein, *La psychosomatique du rire*, Robert Laffont

Sa sainteté le Dalaï-lama, *Conseils du cœur*, Pocket.

Sa sainteté le Dalaï-Lama, *Instants sacrés*, Géo.

David Lynch, *Mon histoire vraie*, Sonatine.

Hélène Weber, *Le Feng Shui questions–réponses*, Trédaniel.

Günther Sator, *Le Feng Shui habitat et harmonie*, Vigot.

Dominique Loreau, *L'art de la simplicité*, Marabout.

Patrice Bouchardon, *L'énergie des arbres*, le Courrier du Livre.

Davina Delor, *Le yoga des paresseuses*, Marabout.

Anne Benoît, *La zen attitude des paresseuses*, Marabout.

Stéphane Szerman, *Le guide du bien-être*, Pocket.

Marie-Édith Tournon, *100 réponses sur le stress*, Tournon.

Barbara Heller, *350 façons de relaxer son corps et son esprit*, Presses du Châtelet.

Dale Carnegie, *Triomphez de vos soucis*, Poche.

Judith. H. Morrison, *Le livre de l'ayurvéda, le guide personnel du bien-être*, Courrier du Livre.

Erik Pigani, *Soyez zen*, Presses du Châtelet.

Antony Robbins, *Pouvoir illimité*, Robert Laffont.

Docteur Petra Kunze, médecin ophtalmologiste, *Vos yeux sont précieux*, Médicis.

Docteur Ehrenfried, *De l'éducation du corps à l'équilibre de l'esprit*, Aubier Montaigne.

Jacobson, *La relaxation progressive*, Albin Michel.

Johannes Heinrich Schultz, *Le training autogène*, PUF.

Eugen Herrigel, *Le zen dans l'art chevaleresque du tir à l'arc*, Dervy.

Jean-Marie Bourre, *La diététique du cerveau*, Odile Jacob.

David Servan-Schreiber, *Guérir le stress, l'anxiété et la dépression sans médicaments ni psychanalyse*, Robert Laffont.

Pierre Fluchaire, *La révolution du sommeil*, Robert Laffont.

Docteur Thierry Telphon, *ABC des huiles essentielles*, Pocket.

Direction d'ouvrage : Hélène Szuszkin & Virginie Pechet

Fabrication : Patrick Tollec

Conception graphique : Nord Compo

Illustrations : Annie-France Giroud

ISBN : 978-2-810002-18-4

Les Éditions du Toucan

9, rue Maurice Mallet

92130 Issy-les-Moulineaux

www.editionsdutoucan.com

Impression : Normandie Roto Impression s.a.s., 61250 Lonrai

Numéro d'impression : 08-4317

Dépôt légal : Janvier 2009

Imprimé en France